HECTOR DE SAINT-DENYS GARNEAU

Né à Montréal le 13 juin 1912, Hector de Saint-Denys Garneau a passé son enfance au manoir familial, à Sainte-Catherine de Fossambault, près de Québec. C'est là qu'il se lie d'amitié avec Anne Hébert, sa cousine. Il fréquente divers collèges, d'abord à Québec puis à Montréal, et suit des cours à l'École des Beaux-Arts de Montréal. Il publie, en 1937, un recueil de poésie, *Regards et jeux dans l'espace*, qu'il renie et retire aussitôt de la circulation. Après sa mort tragique, survenue le 24 octobre 1943 à Sainte-Catherine, paraissent ses *Poésies*, en 1949, où figurent *Les solitudes*. Sont publiés à titre posthume son *Journal*, en 1954, et *Lettres à ses amis*, en 1967. Une édition critique de ses *Œuvres* voit le jour en 1971. On le considère à juste titre comme l'un des premiers poètes québécois de la modernité.

REGARDS ET JEUX DANS L'ESPACE

Sept suites poétiques composent le célèbre recueil de Saint-Denys Garneau, *Regards et jeux dans l'espace*. Chacune de ces suites jalonne le voyage au bout de la nuit du poète de l'errance, de l'ascension et de la chute. Le recueil est savamment et rigoureusement structuré, les diverses parties de l'œuvre se répondant suivant la dialectique des contraires. Outre le regard et le jeu, associé au monde de l'enfance, déjà présents dans le titre, le poète célèbre la femme auréolée de lumière, l'amour spirituel qui transcende l'amour humain et charnel, la lumière, les espaces, associés à la quête d'un équilibre, à la mort finalement. L'œuvre de Saint-Denys Garneau a donné lieu à bon nombre d'interprétations, révélant ainsi sa grande valeur et ses très hautes qualités, tant thématiques que formelles.

REGARDS ET JEUX DANS L'ESPACE

suivi de

LES SOLITUDES

HECTOR DE SAINT-DENYS GARNEAU

Regards et jeux dans l'espace

suivi de

Les solitudes

Préface de Marie-Andrée Lamontagne

BIBLIOTHÈQUE QUÉBÉCOISE

BQ

BIBLIOTHÈQUE QUÉBÉCOISE est une société d'édition administrée conjointement par les Éditions Fides, les Éditions Hurtubise HMH et Leméac Éditeur. BIBLIOTHÈQUE QUÉBÉCOISE remercie le ministère du Patrimoine canadien du soutien qui lui est accordé dans le cadre du Programme d'aide au développement de l'industrie de l'édition. BQ remercie également le Conseil des Arts du Canada et la Société de développement des entreprises culturelles du Québec (SODEC).

Conception graphique : Gianni Caccia
Typographie et montage : Dürer et al. (MONTREAL)

Données de catalogage avant publication (CANADA)
Garneau, Hector de Saint-Denys, 1912-1943
Poésies complètes : Regards et jeux dans l'espace ; Les solitudes
Éd. originale : Montréal : Fides, 1949, dans la coll. : Collection du Nénuphar.
Comprend des réf. bibliographiques

ISBN-10 : 2-89406-171-4 ISBN-13 : 978-2-89406-171-8

I. Titre. II. Titre : Le chercheur de trésors. III. Collection : Littérature (BQ).
PS8401.U24C48 1995 C843'.3 C95-940253-5
PS9401.U24C48 1995
PQ3919.2.A78C48 1995

Dépôt légal : 2e trimestre 1995
Bibliothèque nationale du Québec

IMPRIMÉ AU CANADA EN DÉCEMBRE 2006

L'ordre secret du monde

« Je ne craignais qu'une chose : non d'être méconnu, non d'être refusé, mais d'être découvert. » En 1937, quand Saint-Denys Garneau écrit ces mots dans son journal, la lutte a déjà commencé. Quelque chose — un doute, l'angoisse, un mal — mine ses forces vives et, d'une sévérité salutaire pour lui-même, l'entraîne de plus en plus loin vers l'autodénigrement et la paralysie. Le masque un jour tombé, il serait « découvert » ; on s'aviserait enfin de la vacuité de son art, des limites vite atteintes de son tempérament créateur, de la faiblesse d'un homme trop soumis à ses passions.

Saint-Denys Garneau ne pouvait imaginer que le drame qu'il vivait serait à l'origine d'un autre malentendu, combien plus grave que celui, pourtant douloureux, qu'il connaissait chaque jour dans ses rapports avec autrui. Le mythe de Saint-Denys Garneau prenait forme à son insu. Il se dessinait quand Garneau retira lui-même des rayons des librairies les exemplaires de *Regards et jeux dans l'espace* qu'un peu plus tôt il avait mis tant de soin à confectionner. Quand il se réfugia, durant les dernières années de sa vie, au manoir familial, à Sainte-Catherine de Fossambault, menant une existence de hobereau sombre et taciturne, les contours du mythe s'épaissirent. Ils s'accentuèrent après l'épisode du canot qui devait lui coûter la vie. Plus tard, des voix indignées se firent entendre : on l'avait tué avec notre mesquinerie, notre religion d'épouvantail, notre noirceur duplessiste. On jasa aussi. Il était très malade. Est-il vrai que sa cousine l'a beaucoup aimé ?

Le gâchis.

Comme pour Nelligan, pourquoi faut-il un mythe de Saint-Denys Garneau ? Quelle faiblesse nous pousse à nous attacher à l'homme, et pour les mauvaises raisons, plutôt qu'à son œuvre ? Sommes-nous si voués au culte de l'anecdote qu'elle doive toujours compenser le dépouillement de l'œuvre littéraire qui, autrement, nous semblerait bien austère ? N'est-ce pas là aussi une des pires manifestations du romantisme — friand de destins singuliers — qui règne encore dans la société québécoise et qui, en d'autres temps, a fait se jeter Louis Fréchette, éperdu d'admiration, aux pieds de Victor Hugo ? Par un effort de volonté dont Saint-Denys Garneau a lui-même tant de fois donné l'exemple, il faudrait s'attacher à l'œuvre (où nous retrouverons l'homme, mais pour les bonnes raisons) et rompre avec un mythe qui se nourrit de lui-même et, trop souvent, confine Garneau à l'hagiographie ou au fait littéraire — deux « chaises » que je l'imagine tout prêt à vouloir quitter.

Quand paraît *Regards et jeux dans l'espace*, Saint-Denys Garneau a vingt-cinq ans. C'est un être à la fois jeune et très vieux. La vigueur des grands débuts qui anime les poèmes de ce mince recueil n'a échappé à aucun lecteur attentif, et moins encore à ses amis de *La Relève*, les premiers à saluer le poète : « J'y vois pour ma part une imminente conflagration de l'accessoire, une leçon de liberté [...] Un exercice aussi, pratiqué par des muscles, hier encore qu'on ne savait pas avoir, de l'esprit[1]. »

Ces muscles, dont la poésie d'ici semblait jusque-là dépourvue, c'est l'audace qui consiste à tourner le dos aux grâces de l'imitation pour être soi. La tâche n'est pas aisée. L'art a besoin de se nourrir d'autres arts, qu'il lui faut transformer et par rapport auxquels il lui faut encore prendre ses distances après les avoir assimilés. Nos poètes en étaient loin. Saint-Denys Garneau a connu tout ensemble le pessimisme baudelairien, les plaintes de Lamartine et la ferveur de Jouve, mais ses lectures, principalement françaises, ne l'ont pas conduit à vouloir écrire sa *Légende des siècles*. La force des poèmes de *Regards et jeux dans l'espace* vient précisément d'une impertinence juvénile qui reconstruit le monde à sa convenance plutôt que de toucher l'héritage des aînés. *Se reposer sans appui*. S'est-on déjà interrogé sur l'incroyable difficulté de la chose ? La solitude de Garneau commence là, et l'incompréhension à laquelle s'est heurtée parfois sa poésie prend valeur de confirmation.

La force d'un créateur, entend-on souvent, se mesure à la violence qu'il fait subir à la réalité pour qu'elle se conforme à ce qu'il aura décidé qu'elle sera. Ainsi, Londres s'est mise à ressembler aux toiles de Turner. Ainsi des Christ jaunes et de la façade ruisselante de la cathédrale de Rouen, ou du paysage après que l'eurent peint les impressionnistes. Saint-Denys Garneau n'a pas tiré à lui la réalité ; il a voulu la rejoindre là où elle se trouvait, au plus profond, et non dans ses manifestations de surface : « [...] le grand art consiste à dépasser

1. Robert CHARBONNEAU, « Lettre à Saint-Denys Garneau », *La Relève*, mars 1937.

la réalité et non à la fuir. Il faut qu'on puisse se dire : “Comme c'est cela, et quelque chose de plus.” C'est dans ce “plus” que réside l'art[2]. » De l'art comme vue de l'esprit, il s'agissait pour lui de passer à la réalité de l'art et, par l'entremise de celui-ci, à la réalité du monde sensible. Un long voyage commençait, qui donne à la jeune poésie de Garneau une gravité d'un autre âge.

Au Québec où, comme chacun sait, l'époque moderne débute avec la Révolution tranquille, on a souvent fait de Garneau la victime de l'obscurantisme d'un ancien régime dont le catholicisme, érigé en religion d'État, aurait entravé les meilleurs esprits. Mais on oublie que Rina Lasnier, née en 1910, devait trouver dans la même religion le ferment de sa poésie. On a oublié — et on a tort — les premiers vers de Marie-Claire Blais :

Chez nous, les paysans faisaient la lecture
[de la Bible
Baignés dans les splendeurs noires,
Les pasteurs se rassemblaient devant le temple,
Et les fils de pasteurs, et les jeunes chantaient
[de vieilles hymnes,
Alors le Jugement Dernier traversait les landes
Comme un cheval paisible, en automne[3],

dont la sérénité pastorale n'est ni protestante ni catholique, mais proprement religieuse. L'anathème lancé par

---

2. Saint-Denys GARNEAU, *Journal*, dans *Œuvres*, texte établi, annoté et présenté par Jacques Brault et Benoît Lacroix, Montréal, Les Presses de l'Université de Montréal, 1971, p. 348.

3. Marie-Claire BLAIS, « Chez nous... », dans *Pays voilés*, Québec, Garneau Éditeur, 1963, p. 11.

Jean Le Moyne[4] contre le Canada français qui aurait eu raison de Saint-Denys Garneau a quelque chose d'excessif, propre à l'indignation, mais les prévisions de Le Moyne se sont avérées justes sur un point : « la désaffection totale vis-à-vis de la foi à laquelle le système prétend s'identifier » a eu lieu, et on chercherait en vain, en cette matière, aujourd'hui, l'ombre d'une sérénité qui ne ferait pas détourner la tête, gêné, dès qu'il est question de Dieu ou de la Vierge. Dans une lettre, Garneau, qui a toujours aimé les programmes, rassurants pour ce mauvais sujet, annonçait à Jean Le Moyne : « Une partie de mon art sera l'art religieux, et une partie de ma production littéraire. » Il a tenu parole.

Et je prierai ta grâce de me crucifier
Et de clouer mes pieds à ta montagne sainte
Pour qu'ils ne courent pas sur les routes fermées
Les routes qui s'en vont vertigineusement
De toi.

« Montagne sainte », « crucifier » : ce ne sont pas là des métaphores. La foi de Garneau était trop profonde pour servir d'ornement poétique. Loin d'orner, elle se fond au propos, qu'elle élève, et on ne saurait réduire cette dimension de la personnalité de Garneau à une vague « quête spirituelle » sans affadir considérablement la nature de sa foi — catholique — dont il n'y a pas à rougir.

Garneau a vu avec désarroi la dispersion qui guettait le monde moderne, dominé par le bruit et des idées stridentes, qui toutes réclament un statut égal, et il a choisi

4. Jean LE MOYNE, « Saint-Denys Garneau, témoin de son temps », dans *Convergences*, Montréal, Éditions Fides, 1993 (Hurtubise HMH, 1963), p. 239-263.

d'ignorer ce monde. À Claude Hurtubise, il écrit : « L'instruction, la culture raisonnante, l'avalanche d'idées (difficilement contrôlables par la masse) qui flottent en l'air, courent les journaux, accablent les hommes, constituent la plupart du temps de ces intermédiaires de matière morte bien plus que de voies à la réalité. Quand une vie organique n'est pas là pour éliminer le superflu, c'est-à-dire la vanité, et enseigner la simplicité, qu'est-ce qui reste que ce monde étranger, que l'on fait par distraction ? Et c'est un autre pas hors de la réalité. Tout est démesuré[5]. »

Quelque trente ans plus tard, Pierre Vadeboncœur devait éprouver un désarroi semblable devant la « déspiritualisation » de la nouvelle société née sous ses yeux de la Révolution tranquille et qui a dû servir de point de départ à la réflexion plus générale sur le monde contemporain qu'il propose dans *Les deux royaumes*. « S'il y a quelque chose de nécessaire à l'intégrité humaine, c'est bien d'avoir au-dessus de soi un signe souverain, que les religions ont souvent exprimé par des symboles aussi dépouillés que des figures géométriques parfaites [...] Au-dessus de cela, l'on ne pouvait rien placer, mais, au-dessous, le sujet devait être l'humilité et la soumission mêmes, ce qui faisait à la fois la vérité de la grandeur et celle de la misère, équitablement réparties et réunies l'une et l'autre dans un même ordre. [...] la décadence moderne a consisté [...] à répudier non seulement les modèles anciens mais toute idée de modèle intérieur[6]. »

---

5. Saint-Denys GARNEAU, lettre à Claude Hurtubise, datée de juin 1940, dans *Lettres à ses amis*, Montréal, Hurtubise HMH, 1967, p. 451.

6. Pierre VADEBONCŒUR, « La dignité absolue », dans *Les deux royaumes*, Montréal, l'Hexagone, 1978, p. 21.

Que la religion pèse de tout son poids sur l'ordre social ou qu'elle en soit absente, il semble donc que le résultat soit le même : « L'âme n'a plus le temps d'intervenir et de toute façon elle n'en a plus la permission[7]. » L'immédiateté du monde, envahissante, despotique, qui réduit les individus à l'état de troupeau en quête des plus chiches pâturages pourvu qu'ils apaisent la faim, Saint-Denys Garneau ne pouvait s'en contenter. Son journal est le lieu d'une lutte permanente entre les deux ordres du monde, lutte qui ne se résout que par intermittence, dans un équilibre précaire. Ses lettres témoignent de la rigueur qui a animé la lutte. Son silence, qu'il l'a dépassée. Mais fallait-il que l'approfondissement du monde se résolût dans la gravité et l'angoisse qui l'ont conduit à la paralysie que l'on sait ? Car la joie existe, et il est arrivé à Garneau d'éprouver sa douce violence, qui nettoie l'être comme un orage. Mais alors que, faibles, nous cédons à l'illusion de croire à sa durée, lui avait compris déjà qu'elle était passée, et qu'il fallait appliquer ses efforts à des fins plus durables. De lui ou de nous, qui a raison ?

Toute poésie exige d'être lue loin du tumulte. D'où vient que celle de Garneau y invite davantage ? Brève, exigeante, inégale, et si universelle, elle est un appel vers le haut, à un moment où tout incite à rester en bas.

Marie-Andrée Lamontagne

---

7. Pierre VADEBONCŒUR, *id.*

REGARDS ET JEUX DANS L'ESPACE

I
Jeux

Je ne suis pas bien du tout assis sur cette chaise
Et mon pire malaise est un fauteuil où l'on reste
Immanquablement je m'endors et j'y meurs.

Mais laissez-moi traverser le torrent sur les roches
Par bonds quitter cette chose pour celle-là
Je trouve l'équilibre impondérable entre les deux
C'est là sans appui que je me repose.

Le jeu

Ne me dérangez pas je suis profondément occupé

Un enfant est en train de bâtir un village
C'est une ville, un comté
Et qui sait
Tantôt l'univers.

Il joue

Ces cubes de bois sont des maisons qu'il déplace
et des châteaux
Cette planche fait signe d'un toit qui penche
ça n'est pas mal à voir
Ce n'est pas peu de savoir où va tourner la route
de cartes
Ce pourrait changer complètement
le cours de la rivière
À cause du pont qui fait un si beau mirage
dans l'eau du tapis
C'est facile d'avoir un grand arbre
Et de mettre au-dessous une montagne
pour qu'il soit en haut.

Joie de jouer ! paradis des libertés !
Et surtout n'allez pas mettre un pied dans
la chambre
On ne sait jamais ce qui peut être dans ce coin
Et si vous n'allez pas écraser la plus chère
des fleurs invisibles

Voilà ma boîte à jouets
Pleine de mots pour faire de merveilleux
enlacements
Les allier séparer marier,
Déroulements tantôt de danse
Et tout à l'heure le clair éclat du rire
Qu'on croyait perdu

Une tendre chiquenaude
Et l'étoile
Qui se balançait sans prendre garde
Au bout d'un fil trop ténu de lumière
Tombe dans l'eau et fait des ronds.

De l'amour de la tendresse qui donc oserait en douter
Mais pas deux sous de respect pour l'ordre établi
Et la politesse et cette chère discipline
Une légèreté et des manières à scandaliser les
grandes personnes

Il vous arrange les mots comme si c'étaient de
simples chansons
Et dans ses yeux on peut lire son espiègle plaisir
À voir que sous les mots il déplace toutes choses
Et qu'il en agit avec les montagnes
Comme s'il les possédait en propre.
Il met la chambre à l'envers et vraiment l'on
ne s'y reconnaît plus
Comme si c'était un plaisir de berner les gens.

Et pourtant dans son œil gauche quand le droit rit
Une gravité de l'autre monde s'attache à la feuille
d'un arbre
Comme si cela pouvait avoir une grande importance
Avait autant de poids dans sa balance
Que la guerre d'Éthiopie
Dans celle de l'Angleterre.

Nous ne sommes pas des comptables

Tout le monde peut voir une piastre de papier vert
Mais qui peut voir au travers
si ce n'est un enfant
Qui peut comme lui voir au travers en toute liberté
Sans que du tout la piastre l'empêche
ni ses limites
Ni sa valeur d'une seule piastre

Mais il voit par cette vitrine des milliers de
jouets merveilleux
Et n'a pas envie de choisir parmi ces trésors
Ni désir ni nécessité
Lui
Mais ses yeux sont grands pour tout prendre.

Spectacle de la danse

Mes enfants vous dansez mal
Il faut dire qu'il est difficile de danser ici
Dans ce manque d'air
Ici sans espace qui est toute la danse.

Vous ne savez pas jouer avec l'espace
Et vous y jouez
Sans chaînes
Pauvres enfants qui ne pouvez pas jouer.

Comment voulez-vous danser j'ai vu les murs
La ville coupe le regard au début
Coupe à l'épaule le regard manchot
Avant même une inflexion rythmique
Avant sa course et repos au loin
Son épanouissement au loin du paysage
Avant la fleur du regard alliage au ciel
Mariage au ciel du regard
Infinis rencontrés heurt
Des merveilleux.

La danse est seconde mesure et second départ
Elle prend possession du monde
Après la première victoire
Du regard

Qui lui ne laisse pas de trace en l'espace
— Moins que l'oiseau même et son sillage
Que même la chanson et son invisible passage
Remuement imperceptible de l'air —
Accolade, lui, par l'immatériel
Au plus près de l'immuable transparence
Comme un reflet dans l'onde au paysage
Qu'on n'a pas vu tomber dans la rivière

Or la danse est paraphrase de la vision
Le chemin retrouvé qu'ont perdu les yeux dans le but
Un attardement arabesque à reconstruire
Depuis sa source l'enveloppement de la séduction.

Rivière de mes yeux

Ô mes yeux ce matin grands comme des rivières
Ô l'onde de mes yeux prêts à tout refléter
Et cette fraîcheur sous mes paupières
Extraordinaire
Tout alentour des images que je vois

Comme un ruisseau rafraîchit l'île
Et comme l'onde fluente entoure
La baigneuse ensoleillée

II
Enfants

I

Les enfants
Ah ! les petits monstres

Ils vous ont sauté dessus
Comme ils grimpent après les trembles
Pour les fléchir
Et les faire pencher sur eux

Ils ont un piège
Avec une incroyable obstination

Ils ne vous ont pas laissés
Avant de vous avoir gagnés

Alors ils vous ont laissés
Les perfides
                    vous ont abandonnés
Se sont enfuis en riant.

Il y en a qui sont restés
Quand les autres sont partis jouer
Ils sont restés assis gravement.

Il en est qui sont allés
Jusqu'au bout de la grande allée

Leur rire s'est suspendu

Pendant qu'ils se retournaient
Pour vous voir qui les regardiez

Un remords et un regret

Mais il n'était pas perdu
Il a repris sa fusée
Qu'on entend courir en l'air
Cependant qu'eux sont disparus
Quand l'allée a descendu.

II
Portrait

C'est un drôle d'enfant
C'est un oiseau
Il n'est plus là

Il s'agit de le trouver
De le chercher
Quand il est là

Il s'agit de ne pas lui faire peur
C'est un oiseau
C'est un colimaçon.

Il ne regarde que pour vous embrasser
Autrement il ne sait pas quoi faire
avec ses yeux

Où les poser
Il les tracasse comme un paysan sa casquette

Il lui faut aller vers vous
Et quand il s'arrête
Et s'il arrive
Il n'est plus là

Alors il faut le voir venir
Et l'aimer durant son voyage.

III
Esquisses en plein air

La voix des feuilles
Une chanson
Plus claire un froissement
De robes plus claires aux plus
transparentes couleurs.

L'aquarelle

Est-il rien de meilleur pour vous chanter
les champs
Et vous les arbres transparents
Les feuilles
Et pour ne pas cacher la moindre des lumières

Que l'aquarelle cette claire
Claire tulle ce voile clair sur le papier.

Flûte

Tous les champs ont soupiré par une flûte
Tous les champs à perte de vue ondulés sur les
buttes
Tendus verts sur la respiration calme des buttes

Toute la respiration des champs a trouvé ce petit
ruisseau vert de son pour sortir
À découvert
Cette voix verte presque marine
Et soupiré un son tout frais
Par une flûte.

Saules

Les saules au bord de l'onde
La tête penchée
Le vent peigne leurs chevelures longues
Les agite au-dessus de l'eau
Pendant qu'ils songent
Et se plaisent indéfiniment
Aux jeux du soleil dans leur feuillage froid
Ou quand la nuit emmêle ses ruissellements.

Les ormes

Dans les champs
Calmes parasols
Sveltes, dans une tranquille élégance
Les ormes sont seuls ou par petites familles.
Les ormes calmes font de l'ombre
Pour les vaches et les chevaux
Qui les entourent à midi.
Ils ne parlent pas
Je ne les ai pas entendus chanter.
Ils sont simples
Ils font de l'ombre légère
Bonnement
Pour les bêtes.

Saules

Les grands saules chantent
Mêlés au ciel
Et leurs feuillages sont des eaux vives
Dans le ciel

Le vent
Tourne leurs feuilles
D'argent
Dans la lumière
Et c'est rutilant
Et mobile
Et cela flue
Comme des ondes.

On dirait que les saules coulent
Dans le vent
Et c'est le vent
Qui coule en eux.

C'est des remous dans le ciel bleu
Autour des branches et des troncs
La brise chavire les feuilles
Et la lumière saute autour
Une féerie
Avec mille reflets
Comme des trilles d'oiseaux-mouches
Comme elle danse sur les ruisseaux
Mobile
Avec tous ses diamants et tous ses sourires.

Pins à contre-jour

Dans la lumière leur feuillage est comme l'eau
Des îles d'eau claire
Sur le noir de l'épinette ombrée à contre-jour

Ils ruissellent
Chaque aigrette et la touffe
Une île d'eau claire au bout de chaque branche

Chaque aiguille un reflet un fil d'eau vive

Chaque aigrette ruisselle comme une petite source
qui bouillonne
Et s'écoule
On ne sait où.

Ils ruissellent comme j'ai vu ce printemps
Ruisseler les saules eux l'arbre entier
Pareillement argent tout reflet tout onde
Tout fuite d'eau passage
Comme du vent rendu visible
Et paraissant
Liquide
À travers quelque fenêtre magique.

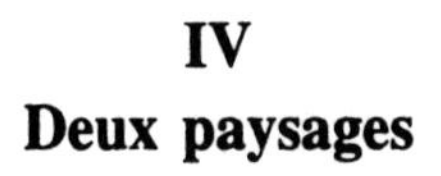

IV
Deux paysages

I

Paysage en deux couleurs sur fond de ciel

La vie la mort sur deux collines
Deux collines quatre versants
Les fleurs sauvages sur deux versants
L'ombre sauvage sur deux versants

Le soleil debout dans le sud
Met son bonheur sur les deux cimes
L'épand sur faces des deux pentes
Et jusqu'à l'eau de la vallée
(Regarde tout et ne voit rien)

Dans la vallée le ciel de l'eau
Au ciel de l'eau les nénuphars
Les longues tiges vont au profond
Et le soleil les suit du doigt
(Les suit du doigt et ne sent rien)

Sur l'eau bercée de nénuphars
Sur l'eau piquée de nénuphars
Sur l'eau percée de nénuphars
Et tenue de cent mille tiges
Porte le pied des deux collines
Un pied fleuri de fleurs sauvages
Un pied rongé d'ombre sauvage.

Et pour qui vogue en plein milieu
Pour le poisson qui saute au milieu
(Voit une mouche tout au plus)

Tendant les pentes vers le fond
Plonge le front des deux collines
Un de fleurs fraîches dans la lumière
Vingt ans de fleurs sur fond de ciel
Un sans couleur ni de visage
Et sans comprendre et sans soleil
Mais tout mangé d'ombre sauvage
Tout composé d'absence noire
Un trou d'oubli — ciel calme autour.

II

Un mort demande à boire
Le puits n'a plus tant d'eau qu'on le croirait
Qui portera réponse au mort
La fontaine dit mon onde n'est pas pour lui.

Or voilà toutes ses servantes en branle
Chacune avec un vase à chacune sa source
Pour apaiser la soif du maître
Un mort qui demande à boire.

Celle-ci cueille au fond du jardin nocturne
Le pollen suave qui sourd des fleurs
Dans la chaleur qui s'attarde
à l'enveloppement de la nuit
Elle développe cette chair devant lui

Mais le mort a soif encore et demande à boire

Celle-là cueille par l'argent des prés lunaires
Les corolles que ferma la fraîcheur du soir
Elle en fait un bouquet bien gonflé
Une tendre lourdeur fraîche à la bouche
Et s'empresse au maître pour l'offrir

Mais le mort a soif et demande à boire

Alors la troisième et première des trois sœurs
S'empresse elle aussi dans les champs
Pendant que surgit au ciel d'orient
La claire menace de l'aurore
Elle ramasse au filet de son tablier d'or
Les gouttes lumineuses de la rosée matinale
En emplit une coupe et l'offre au maître

Mais il a soif encore et demande à boire.

Alors le matin paraît dans sa gloire
Et répand comme un vent la lumière sur la vallée
Et le mort pulvérisé
Le mort percé de rayons comme une brume
S'évapore et meurt
Et son souvenir même a quitté la terre.

V
De gris en plus noir

Spleen

Ah ! quel voyage nous allons faire
Mon âme et moi, quel lent voyage

Et quel pays nous allons voir
Quel long pays, pays d'ennui.

Ah ! d'être assez fourbu le soir
Pour revenir sans plus rien voir

Et de mourir pendant la nuit
Mort de moi, mort de notre ennui.

Maison fermée

Je songe à la désolation de l'hiver
Aux longues journées de solitude
Dans la maison morte —
Car la maison meurt où rien n'est ouvert —
Dans la maison close, cernée de forêts

Forêts noires pleines
De vent dur

Dans la maison pressée de froid
Dans la désolation de l'hiver qui dure

Seul à conserver un petit feu dans le grand âtre
L'alimentant de branches sèches
Petit à petit
Que cela dure
Pour empêcher la mort totale du feu
Seul avec l'ennui qui ne peut plus sortir
Qu'on enferme avec soi
Et qui se propage dans la chambre

Comme la fumée d'un mauvais âtre
Qui tire mal vers en haut
Quand le vent s'abat sur le toit
Et rabroue la fumée dans la chambre
Jusqu'à ce qu'on étouffe dans la maison fermée

Seul avec l'ennui
Que secoue à peine la vaine épouvante
Qui nous prend tout à coup
Quand le froid casse les clous dans les planches
Et que le vent fait craquer la charpente

Les longues nuits à s'empêcher de geler
Puis au matin vient la lumière
Plus glaciale que la nuit.

Ainsi les longs mois à attendre
La fin de l'âpre hiver.

Je songe à la désolation de l'hiver
Seul
Dans une maison fermée.

Fièvre

Reprend le feu
Sous les cendres

Attention
On ne sait pas
Dans les débris

Attention
On sait trop bien
Dans les débris
Le moindre souffle et le feu part

Au fond du bois
Le feu reprend
Sournoisement
De moins en plus fort

Attention
Le feu reprend
Brûle le vent à son passage

Le feu reprend
Mais où passer
Dans les débris
Tout fracassés
Dans les écopeaux
Bien tassés

La chaleur chauffe
Le vent se brûle
La chaleur monte
Et brouille le ciel

À lueurs lourdes
La chaleur sourde
Chauffe et me tord

La chaleur chauffe
Sans flamme claire
La chaleur monte
Sans oriflamme
Brouillant le ciel
Tremblant les arbres
Brûlant le vent à son passage.

Le paysage
Demande grâce
Les bêtes ont les yeux effarés
Les oiseaux sont égarés
Dans la chaleur brouillant le ciel

Le vent ne peut plus traverser
Vers les grands arbres qui étouffent
Les bras ouverts
Pour un peu d'air

Le paysage demande grâce
Et la chaleur intolérable
Du feu repris
Dans les débris
Est sans une fissure aucune
Pour une flamme
Ou pour le vent.

VI
Faction

Commencement perpétuel

Un homme d'un certain âge
Plutôt jeune et plutôt vieux
Portant des yeux préoccupés
Et des lunettes sans couleur
Est assis au pied d'un mur
Au pied d'un mur en face d'un mur

Il dit je vais compter de un à cent
À cent ça sera fini
Une bonne fois une fois pour toutes
Je commence un deux et le reste

Mais à soixante-treize il ne sait plus bien

C'est comme quand on croyait compter les
coups de minuit
et qu'on arrive à onze
Il fait noir comment savoir
On essaye de reconstruire avec les espaces le rythme
Mais quand est-ce que ça a commencé

Et l'on attend la prochaine heure

Il dit allons il faut en finir
Recommençons une bonne fois
Une fois pour toutes
De un à cent
Un...

Autrefois j'ai fait des poèmes
Qui contenaient tout le rayon
Du centre à la périphérie et au-delà

Comme s'il n'y avait pas de périphérie
mais le centre seul

Et comme si j'étais le soleil : à l'entour
l'espace illimité

C'est qu'on prend de l'élan
à jaillir tout au long du rayon
C'est qu'on acquiert une prodigieuse vitesse de bolide

Quelle attraction centrale peut alors
empêcher qu'on s'échappe
Quel dôme de firmament concave qu'on le perce
Quand on a cet élan pour éclater dans l'Au-delà.

Mais on apprend que la terre n'est pas plate
Mais une sphère et que le centre n'est pas au milieu
Mais au centre
Et l'on apprend la longueur du rayon ce chemin
trop parcouru
Et l'on connaît bientôt la surface
Du globe tout mesuré inspecté arpenté vieux sentier
Tout battu

Alors la pauvre tâche
De pousser le périmètre à sa limite
Dans l'espoir à la surface du globe d'une fissure,
Dans l'espoir et d'un éclatement des bornes
Par quoi retrouver libre l'air et la lumière.

Hélas tantôt désespoir
L'élan de l'entier rayon devenu
Ce point mort sur la surface.

Tel un homme
Sur le chemin trop court par la crainte du port
Raccourcit l'enjambée et s'attarde à venir
Il me faut devenir subtil
Afin de, divisant à l'infini l'infime distance
De la corde à l'arc,
Créer par ingéniosité un espace analogue à l'Au-delà
Et trouver dans ce réduit matière
Pour vivre et l'art.

Faction

On a décidé de faire la nuit
Pour une petite étoile problématique
A-t-on le droit de faire la nuit
Nuit sur le monde et sur notre cœur
Pour une étincelle
Luira-t-elle
Dans le ciel immense désert

On a décidé de faire la nuit
pour sa part
De lâcher la nuit sur la terre
Quand on sait ce que c'est
Quelle bête c'est
Quand on a connu quel désert
Elle fait à nos yeux sur son passage

On a décidé de lâcher la nuit sur la terre
Quand on sait ce que c'est
Et de prendre sa faction solitaire
Pour une étoile
                    encore qui n'est pas sûre
Qui sera peut-être une étoile filante
Ou bien le faux éclair d'une illusion
Dans la caverne que creusent en nous
Nos avides prunelles.

VII
Sans titre

Tu croyais tout tranquille
Tout apaisé
Et tu pensais que cette mort était aisée

Mais non, tu sais bien que j'avais peur
Que je n'osais faire un mouvement
Ni rien entendre
Ni rien dire
De peur de m'éveiller complètement
Et je fermais les yeux obstinément
Comme un qui ne peut s'endormir
Je me bouchais les oreilles avec mon oreiller
Et je tremblais que le sommeil ne s'en aille

Que je sentais déjà se retirer
Comme une porte ouverte en hiver
Laisse aller la chaleur tendre
Et s'introduire dans la chambre
Le froid qui vous secoue de votre assoupissement
Vous fouette
Et vous rend conscient nettement comme l'acier

Et maintenant

Les yeux ouverts les yeux de chair
trop grands ouverts
Envahis regardent passer
Les yeux les bouches les cheveux
Cette lumière trop vibrante
Qui déchire à coups de rayons
La pâleur du ciel de l'automne

Et mon regard part en chasse effrénément
De cette splendeur qui s'en va
De la clarté qui s'échappe
Par les fissures du temps

L'automne presque dépouillé
De l'or mouvant
Des forêts
Et puis ce couchant
Qui glisse au bord de l'horizon
À me faire crier d'angoisse

Toutes ces choses qu'on m'enlève

J'écoute douloureux comme passe une onde
Les chatoiements des voix et du vent
Symphonie déjà perdue déjà fondue
En les frissons de l'air qui glisse vers hier

Les yeux le cœur et les mains ouvertes
Mains sous mes yeux ces doigts écartés
Qui n'ont jamais rien retenu
Et qui frémissent
Dans l'épouvante d'être vides

Maintenant mon être en éveil
Est comme déroulé sur une grande étendue
Sans plus de refuge au sein de soi
Contre le mortel frisson des vents
Et mon cœur charnel est ouvert comme une plaie
D'où s'échappe aux torrents du désir
Mon sang distribué aux quatre points cardinaux.

Qu'est-ce qu'on peut pour notre ami
au loin là-bas
à longueur de notre bras

Qu'est-ce qu'on peut pour notre ami
Qui souffre une douleur infinie.

Qu'est-ce qu'on peut pour notre cœur
Qui se tourmente et se lamente

Qu'est-ce qu'on peut pour notre cœur
Qui nous quitte en voyage tout seul

Que l'on regarde d'où l'on est
Comme un enfant qui part en mer

De sur la falaise où l'on est
Comme un enfant qu'un vaisseau prend

Comme un bateau que prend la mer
Pour un voyage au bout du vent

Pour un voyage en plein soleil
Mais la mer sonne déjà sourd

Et le ressac s'abat plus lourd
Et le voyage est à l'orage

Et lorsque toute la mer tonne
Et que le vent se lamente aux cordages

Le vaisseau n'est plus qu'une plainte
Et l'enfant n'est plus qu'un tourment

Et de la falaise où l'on est
Notre regard est sur la mer

Et nos bras sont à nos côtés
Comme des rames inutiles

Nos regards souffrent sur la mer
Comme de grandes mains de pitié

Deux pauvres mains qui ne font rien
Qui savent tout et ne peuvent rien

Qu'est-ce qu'on peut pour notre cœur
Enfant en voyage tout seul
Que la mer à nos yeux déchira.

Petite fin du monde

Oh ! Oh !
Les oiseaux
morts

Les oiseaux
les colombes
nos mains

Qu'est-ce qu'elles ont eu
qu'elles ne se reconnaissent plus

On les a vues autrefois
Se rencontrer dans la pleine clarté
se balancer dans le ciel
se côtoyer avec tant de plaisir
                                        et se connaître
dans une telle douceur

Qu'est-ce qu'elles ont maintenant
quatre mains sans plus un chant
que voici mortes
désertées

J'ai goûté à la fin du monde
et ton visage a paru périr
devant ce silence de quatre colombes
devant la mort de ces quatre mains
          Tombées
en rang côte à côte

Et l'on se demande
   À ce deuil
quelle mort secrète
quel travail secret de la mort
par quelle voie intime dans notre ombre
où nos regards n'ont pas voulu descendre
   La mort
a mangé la vie aux oiseaux
a chassé le chant et rompu le vol
à quatre colombes
alignées sous nos yeux

de sorte qu'elles sont maintenant
                    sans palpitation
et sans rayonnement de l'âme.

Accueil

Moi ce n'est que pour vous aimer
Pour vous voir
Et pour aimer vous voir

Moi ça n'est pas pour vous parler
Ça n'est pas pour des échanges
conversations
Ceci livré, cela retenu
Pour ces compromissions de nos dons

C'est pour savoir que vous êtes,
Pour aimer que vous soyez

Moi ce n'est que pour vous aimer
Que je vous accueille
Dans la vallée spacieuse de mon recueillement
Où vous marchez seule et sans moi
Libre complètement

Dieu sait que vous serez inattentive
Et de tous côtés au soleil
Et tout entière en votre fleur
Sans une hypocrisie
en votre jeu

Vous serez claire et seule
Comme une fleur sous le ciel
Sans un repli
Sans un recul de votre exquise pudeur

Moi je suis seul à mon tour
autour de la vallée
Je suis la colline attentive
Autour de la vallée
Où la gazelle de votre grâce évoluera
Dans la confiance et la clarté de l'air

Seul à mon tour j'aurai la joie
Devant moi
De vos gestes parfaits
Des attitudes parfaites
De votre solitude

Et Dieu sait que vous repartirez
Comme vous êtes venue
Et je ne vous reconnaîtrai plus

Je ne serai peut-être pas plus seul
Mais la vallée sera déserte
Et qui me parlera de vous ?

Je suis une cage d'oiseau
Une cage d'os
Avec un oiseau

L'oiseau dans ma cage d'os
C'est la mort qui fait son nid

Lorsque rien n'arrive
On entend froisser ses ailes

Et quand on a ri beaucoup
Si l'on cesse tout à coup
On l'entend qui roucoule
Au fond
Comme un grelot

C'est un oiseau tenu captif
La mort dans ma cage d'os

Voudrait-il pas s'envoler
Est-ce vous qui le retiendrez
Est-ce moi
Qu'est-ce que c'est

Il ne pourra s'en aller
Qu'après avoir tout mangé
Mon cœur
La source du sang
Avec la vie dedans

Il aura mon âme au bec.

Accompagnement

Je marche à côté d'une joie
D'une joie qui n'est pas à moi
D'une joie à moi que je ne puis pas prendre

Je marche à côté de moi en joie
J'entends mon pas en joie qui marche à côté de moi
Mais je ne puis changer de place sur le trottoir
Je ne puis pas mettre mes pieds dans ces pas-là
et dire voilà c'est moi

Je me contente pour le moment de cette compagnie
Mais je machine en secret des échanges
Par toutes sortes d'opérations, des alchimies,
Par des transfusions de sang
Des déménagements d'atomes
par des jeux d'équilibre

Afin qu'un jour, transposé,
Je sois porté par la danse de ces pas de joie
Avec le bruit décroissant de mon pas à côté de moi
Avec la perte de mon pas perdu
s'étiolant à ma gauche
Sous les pieds d'un étranger
qui prend une rue transversale.

LES SOLITUDES

Attente

Ma maison

Je veux ma maison bien ouverte,
Bonne pour tous les miséreux.

Je l'ouvrirai à tout venant
Comme quelqu'un se souvenant
D'avoir longtemps pâti dehors,
Assailli de toutes les morts
Refusé de toutes les portes
Mordu de froid, rongé d'espoir

Anéanti d'ennui vivace
Exaspéré d'espoir tenace

Toujours en quête de pardon
Toujours en chasse de péché.

Lassitude

Je ne suis plus de ceux qui donnent
Mais de ceux-là qu'il faut guérir.
Et qui viendra dans ma misère ?
Qui aura le courage d'entrer dans cette vie
à moitié morte ?
Qui me verra sous tant de cendres,
Et soufflera, et ranimera l'étincelle ?
Et m'emportera de moi-même,
Jusqu'au loin, ah ! au loin, loin !
Qui m'entendra, qui suis sans voix
Maintenant dans cette attente ?
Quelle main de femme posera sur mon front
Cette douceur qui nous endort ?

Quels yeux de femme au fond des miens,
au fond de mes yeux obscurcis,
Voudront aller, fiers et profonds,
Pourront passer sans se souiller,
Quels yeux de femme et de bonté
Voudront descendre en ce réduit
Et recueillir, et ranimer
et ressaisir et retenir
Cette étincelle à peine là ?
Quelle voix pourra retentir,
quelle voix de miséricorde
voix claire, avec la transparence du cristal
Et la chaleur de la tendresse
Pour me réveiller à l'amour, me rendre à la bonté,
m'éveiller à la présence de Dieu dans l'univers ?
Quelle voix pourra se glisser, très doucement,
    sans me briser, dans mon silence intérieur ?

Jeux

Glissement

Qu'est-ce que je machine à ce fil pendu
À ce fil une étoile à la lumière,
Vais-je mourir là pendu
Ou mourir un noyé fatigué de l'épave

Glissement dans la mer qui vous enveloppe
Une véritable sœur enveloppante

Et qui transpose la lumière en descendant
La conserve à vos yeux pour les emplir

Souviens-toi de la mer qui t'a bercé,
Vieux mort bercé au glissement de ce parcours
Accompagné de lumière verte,
Qui troublas d'un remous l'ordonnance de ses réseaux
À travers les couches de l'onde innombrable ;
Et maintenant dans les fonds calmes caressé d'algues
Souviens-toi des vagues et leurs bercements
Vieux mort enfoui dans les silences sous-marins.

[Je me sens balancer]

Je me sens balancer à la cime d'un arbre
Non ces voix de femmes vous n'entamerez pas
La pureté de mon chant
Et si vous m'êtes hier fraternelles
Cette chaleur étouffée où je m'endormirais
J'ai trouvé ce soir dans ce cimier
Parmi le froissement des feuilles comme une onde
Le refuge parmi l'air clair espéré
La vie dans le souvenir de la fraîcheur.

Baigneuse

Ah le matin dans mes yeux sur la mer
Une claire baigneuse a ramassé sur elle
toute la lumière du paysage.

La flûte

Si près de l'émotion :
Le souffle est là, la flûte l'épouse,
Tout près,
Tout contre le souffle.

[Allez-vous me quitter]

Allez-vous me quitter vous toutes les voix
Vais-je vous perdre aussi chacune et toutes
La symphonie et chaque parole
Mon cœur va-t-il être encore comme si vous n'étiez pas
Ce vide qui ne tient pas compte
Qui ne retient pas ce qui est.

Voix du vent

La grande voix du vent
Toute une voix confuse au loin
Puis qui grandit en s'approchant,
devient
Cette voix-ci, cette voix-là
De cet arbre et de cet autre
Et continue et redevient
Une grande voix confuse au loin

Pouvoirs de la parole

[Quant à toi]

Quant à toi dépasse la tour,
Allonge la main au faîte de la tour
Et fais signe à ceux qui n'ont pas de vue au-dedans.

Fais ce silence et parle ces signes
Afin qu'on sache qu'il est des choses dans la tour
Que là-dedans vit quelque chose qu'on ne voit pas
Mais existe, une perle précieuse.

Silence

Toutes paroles me deviennent intérieures
Et ma bouche se ferme comme un coffre
qui contient des trésors
Et ne prononce plus ces paroles dans le temps,
des paroles en passage,
Mais se ferme et garde comme un trésor
ses paroles
Hors l'atteinte du temps salissant, du temps passager.
Ses paroles qui ne sont pas du temps
Mais qui représentent le temps dans l'éternel
Des manières de représentants
Ailleurs de ce qui passe ici,
Des manières de symboles
Des manières d'évidences de l'éternité qui passe ici,

Des choses uniques, incommensurables,
Qui passent ici parmi nous mortels,
Pour jamais plus jamais,
Et ma bouche est fermée comme un coffre
Sur les choses que mon âme garde intimes,
Qu'elle garde
Incommunicables
Et possède ailleurs.

[Parole sur ma lèvre]

Parole sur ma lèvre déjà prends ton vol,
tu n'es plus à moi
Va-t-en extérieure, puisque tu l'es déjà
ennemie
Parmi toutes ces portes fermées.

Impuissant sur toi maintenant dès ta naissance

Je me heurterai à toi maintenant
Comme à toute chose étrangère
Et ne trouverai pas en toi de frisson fraternel
Comme dans une fraternelle chair qui se moule
à ma chair
Et qui épouse aussi ma forme changeante.

Tu es déjà parmi l'inéluctable qui m'encercle
Un des barreaux pour mon étouffement.

[Te voilà verbe]

Te voilà verbe en face de mon être
un poème en face de moi
Par une projection par delà moi
de mon arrière-conscience
Un fils tel qu'on ne l'avait pas attendu
Être méconnaissable, frère ennemi.
Et voilà le poème encore vide qui m'encercle
Dans l'avidité d'une terrible exigence de vie,
M'encercle d'une mortelle tentacule,
Chaque mot une bouche suçante, une ventouse
qui s'applique à moi
Pour se gonfler de mon sang.

Je nourrirai de moelle ces balancements.

Tous et chacun

Tous et chacun, chacun et tous, interchangeables
Deux mots,
Signes
De l'ineffable identité
Où prend lumière tout le poème

Nature, tu m'as chanté
Le duo à voix équivoques,
Immatériel balancement
Par delà l'opacité du nombre,
Flux et reflux de la même onde, ô l'onde unité,
Vagues renaissantes infiniment
Et pour rôle de dérouler
La lumière jusque sur le rivage

Celui-ci, celui-là, faites-vous plus qu'une seule chair
Pour l'amour de mon âme qui vous maria.

Tous et chacun réversibles,
Et je n'ai pu souvent pour cet échange
Que vous accoupler.

[Je sors vous découvrir]

Je sors vous découvrir ailleurs les poètes
Chacun ailleurs en dehors de cette petite vie
J'irai vous découvrir parmi la vie de tout le monde
Et la mort de tout le monde
Où tous ont étalé la fuite de leur vie sur le plancher
Pas chez moi, je vous en prie.

C'est là que vous allez vous éveiller
Me décomposer tout l'univers
Devant moi et le reconstruire
À débordement de tous cadres.

Musique

Musique pour moi ce soir, lointaine,
Dévoilée au loin tu transportes là-bas mon âme
Chanson des collines rythmes
Que la distance réunit en ces faisceaux
Bouquet du paysage horizontal.

Est-ce que les enfants n'entendent pas cela
tout le jour
Et les anges,
Ces paysages réunis dans une seule lumière

* * *

Tu me parles paroles inouïes,
Bouleversements de tout le cœur,
Bercements jusqu'à l'infini des espoirs commencés,
Des amours esquissées à peine enveloppées d'un geste
Et qu'un désir à peine a fleuris dans mes yeux

Et les départs à peine pour de lointaines contrées
Sourires dans l'inconnu

Ou larmes vous si cherchées
Larmes à boire liqueur enivrante du cœur
Qui coulez en dedans
Jusqu'au trop plein de ce cœur qui s'écroule
Adorable mine.

Et ces fureurs.

* * *

Que je t'accueille amie
Tu feras divine la torture
Et cet amour mort comme un pays
Épanoui qui se déroule au soleil immobile
D'un jour que les heures n'ont pas mangé
Tu rendras sang à ces souvenirs
Déjà qui s'estompent
Ou qui restent dans la chambre au fond

De ce cœur toujours désaffecté
Où passèrent tant de rosées sans fleurir
Et fleurs sans cœur au sein de la corolle
Et corolles trop tôt fanées déjà
Qui êtes tombées au milieu même de ces bercements
Prodigués par l'air du soir à votre soif
Et de ce désaltèrement de la matinale fraîcheur

* * *

Te voilà mienne en mes mains, ces âmes méritantes
de mon corps,
Mienne éternelle en passage
Par ces mains-ci, par ces quêteuses de tendresse
Et que rien n'a comblées
Nécessitées à des plénitudes absolues
Mains qui ne sont pas heureuses.

Ces tristes voyez-vous, ces vides
Voulantes assoiffées mains désirantes
À qui je dis ce soir de se taire et que ce ne seront
pas elles
Ces mains de chair pâles
Qui posséderont.

* * *

Tu transformes ce désir perdu
Éparpillé poussière à tous les vents de la journée
En celui de saisir et posséder ici ma vie
Ma vie inaccessible et mon âme trop lointaine

De les posséder enfin des fleurs

[Un poème a chantonné tout le jour]

Un poème a chantonné tout le jour
        Et n'est pas venu
On a senti sa présence tout le jour
        Soulevante
Comme une eau qui se gonfle
        Et cherche une issue
Mais cela s'est perdu dans la terre
        Il n'y a plus rien

On a marché tout le jour comme des fous
Dans un pressentiment d'équilibre
Dans une prévoyance de lumière possible
Comme des fous tout à coup attentifs
À un démêlement qui se fait dans leur cerveau
À une sorte de lumière qui veut se faire
Comme s'ils allaient retrouver
                ce qui leur manque
La clef du jour et la clef de la nuit
Mais ils s'affolent de la lenteur
                du jour à naître

Et voilà que la lueur s'en re-va
S'en retourne dans le soleil hors de vue
Et une porte d'ombre se referme
Sur la solitude plus abrupte et plus incompréhensible.

Le silence strident comme une note unique
  qui annihile le monde entier
La clef de lumière qui manque
  au coffre de tous les trésors

La parole de la chair

Lanternes

Vieilles
Pauvres lumières pendues
Immobiles parmi la fumée
Comme des silences perdus
Qu'est-ce que vous faites là, et qu'est-ce
Je vous prie que vous regardez
Lumières pendues mortes

La tristesse comme vous des sourires tout faits
Et des regards alentour
Comme vous suspendus
Aux seins branlants des danseuses de bazar
Rouges et vertes et bleues
Pauvres que vous êtes
Vieilles,
Mortes.

[Au moment qu'on a fait la fleur]

Au moment qu'on a fait la fleur
De tout notre amour plongé en elle
Quand la fatigue tout à coup la fane entre nos doigts
Quand la fatigue tout à coup surgit alentour
Et s'avance sur nous comme un cercle qui se referme
L'ennemie qu'on n'attendait pas s'avance
Et commence par effacer le monde hors de nous
Efface le monde en s'approchant,
Vient effacer la fleur entre nos mains
Où notre amour était plongé et fleurissait
Notre amour alors dépossédé rentre en nous
Reflue en nous et nous prend au dépourvu
Nous gonfle d'un flot trop lourd
Nous abat d'un vertige inattendu
Et nous sommes épouvantés
Et comme désarmés devant cette parole
Devant la tristesse de la parole de la chair
Qu'on n'attendait pas et qui nous frappe
comme un soufflet au visage.

[À part vingt-cinq fleurs]

À part vingt-cinq fleurs qui ont brûlé
 pendant le jour le jardin est beau
À part vingt-cinq fleurs qui sont fanées
 et nous partons faire une promenade parfaite
 comme s'il ne manquait rien
Mais nous sentons bien
Malgré la fraîcheur du soir qui se dévoile
 et la parfaite cadence voulue de nos pas
En nous se glisser le poids des fleurs mortes
Se glisser en nous
Vingt-cinq fleurs tombées dans un coin du jardin
Qui font pencher en nous tout le jardin
Qui font chavirer en nous tout le jardin
Crouler tout le jardin

[On dirait que sa voix]

On dirait que sa voix est fêlée
Déjà ?
Il rejoint parfois l'éclat du rire
Mais quand il est fatigué
Le son n'emplit pas la forme
C'est comme une voix dans une chaudière
Cela s'arrête au milieu
Comme s'il ravalait le bout déjà dehors
Cela casse et ne s'étend pas dans l'air
Cela s'arrête
    et c'est comme si ça n'aurait pas dû commencer
C'est comme si rien n'était vrai

Moi qui croyais que tout est vrai à ce moment
Déjà ?
Alors, qu'est-ce qui lui prend de vivre
Et pourquoi ne s'être pas en allé ?

[Après les plus vieux vertiges]

Après les plus vieux vertiges
Après les plus longues pentes
Et les plus lents poisons
Ton lit certain comme la tombe
Un jour à midi
S'ouvrait à nos corps faiblis sur les plages
Ainsi que la mer.

Après les plus lentes venues
Les caresses les plus brûlantes
Après ton corps une colonne
Bien claire et parfaitement dure
Mon corps une rivière étendue
et dressé pur jusqu'au bord de l'eau.

Entre nous le bonheur indicible
D'une distance
Après la clarté du marbre
Les premiers gestes de nos cris
Et soudain le poids du sang
S'écroule en nous comme un naufrage
Le poids du feu s'abat sur notre cœur perdu

Après le dernier soupir
Et le feu a chaviré l'ombre sur la terre
Les amarres de nos bras se détachent
pour un voyage mortel
Les liens de nos étreintes tombent d'eux-mêmes
et s'en vont à la dérive sur notre couche
Qui s'étend maintenant comme un désert
Tous les habitants sont morts
Où nos yeux pâlis ne rencontrent plus rien
Nos yeux crevés aux prunelles de notre désir
Avec notre amour évanoui comme une ombre
intolérable
Et nous sentions notre isolement s'élever
comme un mur impossible

Sous le ciel rouge de mes paupières
Les montagnes
Sont des compagnes de mes bras
Et les forêts qui brûlent dans l'ombre
Et les animaux sauvages
Passant aux griffes de tes doigts
Ô mes dents
Et toute la terre mourante étreinte

Puis le sang couvrant la terre
Et les secrets brûlés vifs
Et tous les mystères déchirés
Jusqu'au dernier cri la nuit est rendue

C'est alors qu'elle est venue
Chaque fois
C'est alors qu'elle passait en moi
Chaque fois
Portant mon cœur sur sa tête
Comme une urne restée claire.

[Leur cœur est ailleurs]

Leur cœur est ailleurs
Au ciel peut-être
Elles errent ici en attendant
Mon cœur est parmi d'autres astres parti
Loin d'ici
Et sillonne la nuit d'un cri que je n'entends pas
Quel drame peut-être se joue au loin d'ici ?
        Je n'en veux rien savoir
Je préfère être un jeune mort étendu
Je préfère avoir tout perdu.

Pour chapeau le firmament
Pour monture la terre
Il s'agit maintenant
De savoir quel voyage nous allons faire

Je préfère avoir tout perdu
Je préfère être un jeune mort étendu
Sous un plafond silencieux
À la lumière longue et sans heurt de la veilleuse
Ou peut-être au profond de la mer
Dans une clarté glauque qui s'efface
Durant un long temps sans heures et sans lendemain
De belles jeunes mortes, calmes et soupirantes
Glisseront dans mes yeux leurs formes déjà lointaines
Après avoir baisé ma bouche sans un cri
Avoir accompagné les rêves de mes mains
Aux courbes sereines de leurs épaules
et de leurs hanches
Après la compagnie sans cri de leur tendresse
Ayant vu s'approcher leur forme sans espoir
Je verrai s'éloigner leur ombre sans douleur...

Accompagnement

Ma solitude n'a pas été bonne

Ma solitude au bord de la nuit
N'a pas été bonne
Ma solitude n'a pas été tendre
À la fin de la journée au bord de la nuit
Comme une âme qu'on a suivie
                                        sans plus attendre
L'ayant reconnue pour sœur

Ma solitude n'a pas été bonne
Comme celle qu'on a suivie
Sans plus attendre choisie
Pour une épouse inébranlable

Pour la maison de notre vie
Et le cercueil de notre mort
Gardien de nos os silencieux
Dont notre âme se détacha.

Ma solitude au bord de la nuit
N'a pas été cette amie
L'accompagnement de cette gardienne

La profondeur claire de ce puits
Le lieu de retrait de notre amour
Où notre cœur se noue et se dénoue
Au centre de notre attente

Elle est venue comme une folie par surprise
Comme une eau qui monte
Et s'infiltre au-dedans
Par les fissures de notre carcasse
Par tous les trous de notre architecture
Mal recouverte de chair
Et que laissent ouverte
Les vers de notre putréfaction.

Elle est venue une infidélité
Une fille de mauvaise vie
Qu'on a suivie
Pour s'en aller
Elle est venue pour nous ravir
Dans le cercle de notre lâcheté
Et nous laisser désemparés
Elle est venue pour nous séparer.

Alors l'âme en peine là-bas
C'est nous qu'on ne rejoint pas
C'est moi que j'ai déserté
C'est mon âme qui fait cette promenade cruelle
Toute nue au froid désert
Durant que je me livre à cet arrêt tout seul
À l'immobilité de ce refus
Penché mais sans prendre part au terrible jeu
À l'exigence de toutes ces peines
Secondes irremplaçables.

[Mes paupières en se levant]

Mes paupières en se levant ont laissé vides mes yeux
Laissé mes yeux ouverts dans une grande solitude
Et les serviteurs de mes yeux ne sont pas allés
Mes regards ne sont pas allés comme des glaneuses
Par le monde alentour
Faire des gerbes lourdes de choses
Ils ne rapportent rien pour peupler mes yeux déserts
Et c'est comme exactement s'ils étaient
demeurés en dedans
Et que la porte fût restée fermée.

[Une sorte de repos]

Une sorte de repos
à regarder un ciel passant

Tout ce qui pèse fut relégué
Le désespoir pas de bruit dort sous la pluie

La Poésie est une Déesse
dont nous avons entendu parler

Son corps trop pur pour notre cœur
Dort tout dressé
Par bonheur c'est de l'autre côté

Nous n'entreprendrons pas maintenant
De lui voler des bijoux
qu'elle n'a pas étant nue.

Autre Icare

Cela tient du vent, cela tient au vent.
Cela n'est qu'un accroc que l'on fait au passage,
Un nœud que l'on fait au fil fugace du temps

Et nous sentons bien qu'à travers
                    ce mince filet qu'on a fait,
Ces faibles appuis qu'on a pris
                    sur le cours de notre en-allée
Et ces liens ingénieux tendus
                    à travers des espaces trop vides,

Il n'y a qu'un cri au fond qui persiste,
Il n'y a qu'un cri
                    d'un lien persistant

Où les tiges des fruits sont déjà rompues,
Tes attaches des fleurs et pétales de fleurs
                    sont déjà rongés
Où ces ailes de plume de notre cœur de cire
                    sont déjà détachées
Et plumes au vent, plumes flottant au vent
                    par-dessus cette noyade
Sans port d'attache.

[Le bleu du ciel]

Le bleu du ciel et la lumière coulant en nous
nous avaient servi d'espérance durant ce jour
Mais nous avons eu toutefois toujours la crainte secrète
qui ne nous quitte plus de ce retour au port
de notre désolation
Où nous sommes arrivés maintenant malgré la beauté
de la nuit qu'il fait par-dessus nous
Retirés de la haute mer, de notre repos sur la mer
de tous nos voyages sur la mer vaste et claire
Par on ne sait quel courant contraire derrière nous qui
nous reprend avec une obstination désespérante
Et nous reporte à l'écrasement de ce maelström
Lequel nous relâche à la surface au moment où nous
allions enfin périr.

[L'avenir nous met en retard]

L'avenir nous met en retard
Demain c'est comme hier on n'y peut pas toucher
On a la vie devant soi comme un boulet lourd
aux talons
Le vent dans le dos nous écrase le front contre l'air

On se perd pas à pas
On perd ses pas un à un
On se perd dans ses pas
Ce qui s'appelle des pas perdus

Voici la terre sous nos pieds
Plate comme une grande table
Seulement on n'en voit pas le bout
(C'est à cause de nos yeux qui sont mauvais)

On n'en voit pas non plus le dessous
D'habitude
Et c'est dommage
Car il s'y décide des choses capitales
À propos de nos pieds et de nos pas
C'est là que se livrent des conciliabules géométriques
Qui nous ont pour centre et pour lieu
C'est là que la succession des points devient une ligne
Une ficelle attachée à nous
Et que le jeu se fait terriblement pur
D'une implacable constance dans sa marche
au bout qui est le cercle
Cette prison.

Vos pieds marchent sur une surface dure
Sur une surface qui vous porte comme un empereur
Mais vos pas à travers tombent dans le vide
pas perdus

Font un cercle
et c'est un point
On les place ici et là, ailleurs,
à travers vingt rues qui se croisent
Et l'on entend toc toc sur le trottoir
toujours à la même place
Juste au-dessous de vos pieds

Les pas perdus tombent sous soi dans le vide
et l'on croit qu'on ne va plus les rencontrer
On croit que le pas perdu c'est donné une fois
pour toutes perdu une fois pour toutes
Mais c'est une bien drôle de semence
Et qui a sa loi
Ils se placent en cercle et vous regardent avec ironie
Prisonnier des pas perdus.

...Dans ma main
le bout cassé
de tous les chemins...

Monde irrémédiable désert

Dans ma main
Le bout cassé de tous les chemins

Quand est-ce qu'on a laissé tomber les amarres
Comment est-ce qu'on a perdu tous les chemins

La distance infranchissable
Ponts rompus
Chemins perdus

Dans le bas du ciel, cent visages
Impossibles à voir
La lumière interrompue d'ici là
Un grand couteau d'ombre
Passe au milieu de mes regards

De ce lieu délié
Quel appel de bras tendus
Se perd dans l'air infranchissable

La mémoire qu'on interroge
A de lourds rideaux aux fenêtres
Pourquoi lui demander rien ?
L'ombre des absents est sans voix
Et se confond maintenant avec les murs
De la chambre vide.

Où sont les ponts les chemins les portes
Les paroles ne portent pas
La voix ne porte pas

Vais-je m'élancer sur ce fil incertain
Sur un fil imaginaire tendu sur l'ombre
Trouver peut-être les visages tournés
Et me heurter d'un grand coup sourd
Contre l'absence

Les ponts rompus
Chemins coupés
Le commencement de toutes présences
Le premier pas de toute compagnie
Gît cassé dans ma main.

[Un bon coup de guillotine]

Un bon coup de guillotine
Pour accentuer les distances

Je place ma tête sur la cheminée
Et le reste vaque à ses affaires

Mes pieds s'en vont à leurs voyages
Mes mains à leurs pauvres ouvrages

Sur la console de la cheminée
Ma tête a l'air d'être en vacances

Un sourire est sur ma bouche
Tel que si je venais de naître

Mon regard passe, calme et léger
Ainsi qu'une âme délivrée

On dirait que j'ai perdu la mémoire
Et cela fait une douce tête de fou.

[Identité]

I

Identité
Toujours rompue

Le pas étrange de notre cœur
Nous rejoint à travers la brume
On l'entend
   quel drôle de cadran

Le nœud s'est mis à sentir
Les tours de corde dont il est fait

II

Une chambre avec meubles
Le cadran sur la console
Tout cela fait partie de la chambre
On regarde par la fenêtre
On vient s'asseoir à son bureau
On travaille
On se repose
Tout est tranquille

Tout à coup : tic tac
L'horloge vient nous rejoindre par les oreilles
Vient nous tracasser par le chemin des oreilles
Il vient à petits coups
Tout casser la chambre en morceaux

On lève les yeux ; l'ombre a bougé la cheminée
L'ombre pousse la cheminée
Les meubles sont tout changés

Et quand tout s'est mis à vivre tout seul
Chaque morceau étranger
S'est mis à contredire un autre

Où est-ce qu'on reste
Qu'on demeure
Tout est en trous et en morceaux.

[Figures à nos yeux]

Figures à nos yeux
Figures surgies
À peine
Et qui ne quittez pas encore l'ombre
Quel désir vous attire
À percer l'ombre
Et quelle ombre vous retire
Évanescentes à nos yeux

Figures balancées
Aux confins du visible et qui surgissez
En un jeu de vous voiler et dévoiler
Vous venez mourir ici sur le bord
d'un sourire imaginaire
Et nous envelopper dans la chaleur de votre gravité
Balancement entre l'apparence et l'adieu
Vous nous quittez et vos yeux n'auront pas regardé
Mais nous serons tombés dedans comme dans la nuit.

[Le diable, pour ma damnation]

Le diable, pour ma damnation,
M'a laissé entrevoir la scène
Par l'ouverture des rideaux.
Il a, en se jouant de moi,
Soulevé le bord du voile
Qui cache la vie.
Oh ! pas longtemps !
Juste à peine ce qu'il faut
Pour me laisser appréhender
Ce qui est de l'autre côté
Et aiguiser, et mettre en branle
La curiosité,
Cette soif qui noya Ève, notre mère,
Dans le péché.
Juste à peine pour entrevoir
La fascination de la nuit,
La splendeur du jour éternel
L'étonnante réalité.

Juste à peine pour que j'entende
Le chœur des oiseaux et des fées
L'harmonie universelle
De ces couleurs et de ces chants.
. . . .

Et je reste là dans la salle,
Les yeux ouverts, les oreilles attentives,
Affamé, rongé d'attente,
À mesure que le désespoir grimpe en moi,
Séché de soif et de cette attention vers la commissure des rideaux, me disant : « Est-ce le moment ? voilà ! Les rideaux vont s'écarter. Je vais voir, je vais entendre !
Je vais toucher des yeux la vie !
Un frisson court dans les rideaux ;
Ils vont s'ouvrir ! Sois attentif ! cela ne durera peut-être qu'une fraction de moment, qu'un sourire, un sanglot, qu'un bond !
Voilà le temps ! le rideau bouge ! »
Mais rien ! peut-être un courant d'air,
Un frisson d'air à la surface !
Et puis, après, quand c'est trop long, vraiment, quand ça n'en finit plus d'être fermé, quand on est épuisé jusqu'au bout d'attendre,

Je dis à mon cœur : « Non, viens-t-en
Tu sais bien que tout cela est une mystification,
Un piège, une plaisanterie.
Tu vois bien, regarde-nous, que nous mourons ici
Viens-t-en, mon cœur, allons-nous-en ! »
Mais au moment où mon cœur cède,
Qu'il n'a plus la force de résister,
Qu'il est malade, comme exsangue,
Au moment où le prend le goût de guérir, de sortir, de
respirer,
De s'adoucir, se résigner,
Voilà que les maudits rideaux
S'écartent,
Laissent apercevoir
Encore le jour, encore la nuit,
Et laissent s'échapper le chant, une maladie commencée,
une aurore qui s'avance à peine
Une lumière qui s'en vient
Un beau contour qui se précise une danse esquissée...
. . . .

Quelle extase ! Nous sommes ivres,
Mon cœur et moi, nous sommes fous !
Et nous demeurons dans la salle.
Quoique le voile soit tombé.
Et nous regardons avidement
La place maintenant bouchée,
Le rideau maintenant fermé.
« Va-t-il s'ouvrir bientôt ? Demain ? »
Et le diable continue ainsi toujours à cent reprises son manège.
Je l'entends rire dans les coulisses,
Et s'amuser de notre mort à petit feu, à mesure qu'il voit surgir la folie au fond de nos yeux agrandis
Il sait bien que nous sommes dupes,
Et c'est son plaisir.
Nous le savons aussi d'ailleurs, mais nous ne voulons pas y croire tout à fait parce qu'il faudrait renoncer
Et s'en aller
Alors que le voile sera peut-être levé dans un instant, et pour toujours !

Voyage
au bout du monde

[Des navires bercés]

Des navires bercés dans un port
        Doux bercement avec des souvenirs de voyages

Puis on trouve seuls les souvenirs errants
        qui reviennent et ne trouvent pas de port
        souvenirs sans port d'attache
        Trouvent le port déserté
                Un grand lieu vide sans vaisseaux.

[Je regarde en ce moment]

Je regarde en ce moment sur la mer et je vois
    un tournoiement d'oiseaux
Alentour de je ne sais quel souvenir des mâts
    d'un bateau péri
Qui furent sur la mer jadis leur port d'attache

Et c'est à ce moment aussi que j'ai vu fuir
Un bateau fantôme à deux mâts déserts
Que les oiseaux n'ont pas vu, n'ont pas reconnu
Alors il reste dans le ciel sur la mer
Un tournoiement d'oiseaux sans port d'attache.

[Mon dessein]

Mon dessein n'est pas un très bel édifice
bien vaste, solide et parfait
Mais plutôt de sortir en plein air

Il y a les plantes, l'air et les oiseaux
Il y a la lumière et ses roseaux
Il y a l'eau
Il y a dans l'eau, dans l'air et sur la terre
Toutes sortes de choses et d'animaux
Il ne s'agit pas de les nommer, il y en a trop
Mais chacun sait qu'il y en a tant et plus
Et que chacun est différent, unique
On n'a pas vu deux fois le même rayon
Tomber de la même façon dans la même eau
De la fontaine

Chacun est unique et seul

Moi j'en prends un ici
J'en prends un là
Et je les mets ensemble pour qu'ils se tiennent
compagnie

Ça n'est pas la fin de la nuit,
Ça n'est pas la fin du monde !
C'est moi.

[Il nous est arrivé des aventures]

Il nous est arrivé des aventures du bout du monde
Quand on vient de loin ce n'est pas pour rester là
(Quand on vient de loin nécessairement
c'est pour s'en aller)
Nos regards sont fatigués d'être fauchés
par les mêmes arbres
Par la scie contre le ciel des mêmes arbres
Et nos bras de faucher toujours à la même place.
Nos pieds n'étaient plus là pour nous attacher
dans la terre
Ils nous attiraient tout le corps pour des journées
à perte de vue.

Il nous est arrivé des départs impérieux
Depuis le premier jusqu'à n'en plus finir
À perte de vue dans l'horizon renouvelé
Qui n'est jamais que cet appel au loin
qui module le paysage
Ou cette barrière escarpée
Qui fouette la rage de notre curiosité
Et ramasse en nous de son poids
Le ressort de notre bond

On n'a pas eu trop de neiges à manger
On n'a pas eu à boire trop de vents et de rafales
On n'a pas eu trop de glace à porter
Trop de morts à porter dans des mains de glaçons

Il en est qui n'ont pas pu partir
Qui n'ont pas eu le courage de vouloir s'en aller
Qui n'ont pas eu la joie aux yeux d'embrasser l'espace
Qui n'ont pas eu l'éclair du sang dans les bras
de s'étendre
Ils se sont endormis sur des bancs
Leur âme leur fut ravie durant leur sommeil
Ils se sont réveillés en sursaut comme des domestiques
Que le maître surprend à ne pas travailler

On n'a pas eu envie de s'arrêter
On n'a pas eu trop de fatigues à dompter
Pour l'indépendance de nos gestes dans l'espace
Pour la liberté de nos yeux sur toute la place
Pour le libre bond de nos cœurs par-dessus les monts

Il en est qui n'ont pas voulu partir
Qui ont voulu ne pas partir, mais demeurer.

On les regarde on ne sait pas
Nous ne sommes pas de la même race.

Ils se sont réveillés des animaux parqués là
Qui dépensent leurs ardeurs sans âme dans les bordels
Et s'en revont dormir sans s'en douter
Ils se sont réveillés les comptables, des tracassiers,
Des mangeurs de voisins, des rangeurs de péchés,
Des collecteurs de revenus, des assassins à petits coups,
Rongeurs d'âmes, des satisfaits, des prudents,
Baise-culs, lèche-bottes, courbettes
Ils abdiquent à longue haleine sans s'en douter
N'ayant rien à abdiquer.

C'est un pays de petites bêtes sur quoi l'on pile
On ne les voit pas parce qu'ils sont morts
Mais on voudrait leur botter le derrière
Et les voir entrer sous terre pour la beauté
de l'espace inhabité.

Les autres, on est farouches, on est tout seuls
On n'a que l'idée dans la tête d'embrasser
On n'a que le goût de partir comme une faim
On n'est déjà plus où l'on est
On n'a rien à faire ici
On n'a rien à dire et l'on n'entend pas de voix
d'un compagnon.

[Bout du monde !]

Bout du monde ! Bout du monde ! Ce n'est pas loin !
On croyait au fond de soi faire un voyage
à n'en plus finir
Mais on découvre la platitude de la terre
La terre notre image
Et c'est maintenant le bout du monde cela
Il faut s'arrêter
On en est là

Il faut maintenant savoir entreprendre le pèlerinage
Et s'en retourner à rebrousse pas de notre venue
Avec le dépit à nos trousses de cette déconvenue
Et s'en retourner à contre-courant de notre mirage
Sans tourner la tête aux nouvelles voix de notre richesse
On a déjà trop attendu au bord d'un arrêt tout seul
On a déjà perdu trop de cœur à s'arrêter.

Nous groupons alentour de l'espace
de ce que nous n'avons pas
La réalité définitivement acceptable
de ce que nous pourrions avoir
Des colonies et des possessions
et toute une ceinture d'îles
Faites à l'image et amorcées par ce point
au milieu central de ce que nous n'avons pas
qui est le désir.

[À propos de cet enfant]

À propos de cet enfant qui n'a pas voulu mourir
Et dont on a voulu choyer au moins l'image
comme un portrait dans un cadre dans un salon
Il se peut que nous nous soyons trompés
exagérément sur son compte.
Il n'était peut-être pas fait pour le haut sacerdoce
qu'on a cru
Il n'était peut-être qu'un enfant comme les autres
Et haut seulement pour notre bassesse
Et lumineux seulement pour notre grande ombre
sans rien du tout
(Enterrons-le, le cadre avec et tout)

Il nous a menés ici comme un écureuil qui nous perd
à sa suite dans la forêt
Et notre attention et notre ruse s'est toute gâchée
à chercher obstinément dans les broussailles
Nos yeux se sont tout énervés à chercher son saut
ici et là dans les broussailles à sa poursuite.

Toute notre âme s'est perdue à l'affût
de son passage (qui nous a) perdus
Nous croyions découvrir le monde nouveau
à la lumière de ses yeux
Nous avons cru qu'il allait nous ramener
au paradis perdu.

Mais maintenant enterrons-le, au moins le cadre
avec l'image
Et toutes les tentatives de routes
que nous avons battues à sa poursuite
Et tous les pièges attrayants que nous avons tendus
pour le prendre.

[C'en fut une de passage]

C'en fut une de passage dans notre monde
Une fin de semaine une heure
quelle importance a le temps
Pour visiter notre monde
notre ville notre espèce de monde

À vrai dire c'est une reine qui a le droit de vivre
Cette visite nous a fait plaisir
malgré notre crainte des vivants
Quand elle est venue cela a bien fait
un peu mal à nos yeux
Mais cela a fait à nos yeux du bien

Elle nous a dit faites-moi visiter
Elle ne nous a pas connus tels que nous étions
Étant tout à son désir et sa curiosité

Elle nous a dit faites-moi visiter le monde
Nous l'avons prise par la main alors
Un peu mal à l'aise parce qu'elle n'était pas
une compagnie familière
Et que son pas n'avait pas la même allure que le nôtre
Nous sommes un peu trop habitués à l'allure
de notre propre pas
Les reines nous déconcertent quelque peu

[Il vient une belle enfant]

Il vient une belle enfant avec des yeux neufs
pour visiter
— Nous allons vous faire visiter nos cercueils
Ce n'est pas un bien beau pays mais nous allons
vous le faire voir.
Nous sommes un peu surpris de votre venue,
nous n'attendions plus rien.
— Non, je ne veux pas plutôt les prairies à la lumière
— Nous mourrions à la lumière, vous n'y pensez pas.
C'est hors de question.
— Alors j'aime mieux m'en aller...

Inventaire

Cet enfant qu'on a dit
n'a pas eu le sort qu'il fallait

Il est venu au monde dans les conditions décevantes

Au milieu d'horribles animaux dont les pires
ne sont pas les bêtes féroces
Qui l'eussent (peut-être) mangé en bas âge
pour son plus grand bien
Mais il y a tous les rongeurs qui ne changent
rien à l'affaire.

La nuit

[Et maintenant]

Et maintenant quand est-ce que nous avons mangé
notre joie
Toutes les autres questions en ce moment ont fermé
la bouche de leur soif
Et l'on n'entend plus que celle-là qui reste
persistante et douloureuse
Comme un souvenir lointain qui nous déchire jusqu'ici
Cette promesse et cette espèce d'entrevue
avec la promise
Et maintenant que nous nous sommes déchirés
un sillon jusqu'ici,
Jusqu'où nous en sommes
Cette question nous rejoint
Et nous emplit de sa voix de désespoir
Quand est-ce que nous avons mangé notre joie
Où est-ce que nous avons mangé notre joie
Qui est-ce qui a mangé notre joie
Car il y a certainement un traître parmi nous
Qui s'est assis à notre table quand nous nous sommes
assis tant que nous sommes
Tant que nous étions

Tous ceux qui sont morts de cette espèce de caravane
qui a passé
Tous les enfants et les bons animaux de cette journée
qui sont morts
Et tous ceux maintenant lourds aux pieds
qui continuent à s'acheminer
Dans cette espèce de rêve aux mâchoires fermées
Et dans cette espèce de désert de la dernière aridité
Et dans cette lumière retirée derrière un mur
infranchissable de vide et qui ne sert plus à rien
Parmi tous ceux qui nous sommes assis
tant que nous étions et tant que nous sommes
(Car nous transportons le poids des morts
plus que celui des vivants)
Qui est-ce qui a mangé notre joie parmi nous
Dont ne reste plus que cette espèce de souvenir
qui nous a déchirés jusqu'ici
Qui est-ce parmi nous que nous avons chacun abrité
Accueilli parmi nous
Retenu parmi nous par une espèce de secrète entente
Ce traître frère que nous avons reconnu pour frère
et emmené avec nous dans notre voyage d'un
commun accord
Et protégé d'une complicité commune
Et suivi jusqu'à cette extrémité que notre joie
a été toute mangée
Sous nos yeux sans regarder
Et qu'il ne reste plus que cette espèce de souvenir
qui nous a déchirés jusqu'ici
Et cet illusoire désespoir qui achève de crever
dans son lit.

[On n'avait pas fini]

— I —

On n'avait pas fini de ne plus se comprendre
On avançait toujours à se perdre de vue
On n'avait pas fini de se trouver les plaies
On n'avait pas fini de ne plus se rejoindre
Le désir retombait sur nous comme du feu

Notre ombre invisible est continue
Et ne nous quitte pas pour tomber derrière nous
sur le chemin
On la porte pendue aux épaules
Elle est obstinée à notre poursuite
Et dévore à mesure que nous avançons
La lumière de notre présence

On n'arrive guère à s'en débarrasser
En se retournant tout à coup on la retrouve
à la même place
On n'arrive pas à la secouer de soi
Et quand elle est presque sous nous aux alentours
de midi
Elle fait encore sous nos pieds
Un trou menaçant dans la lumière.

— II —

On s'est tous réunis dans le milieu du temps
On a tout réuni dans le milieu de l'espace
Bien moins loin du paradis que d'habitude
On s'est tous réunis pour une grande fête
Et l'on a demandé à Dieu le Père et Jésus-Christ
Et au Saint-Esprit qui est la Troisième Personne
On leur a demandé d'ouvrir un peu le Paradis
De se pencher et de regarder
Voir s'ils reconnaissaient un peu le monde
Si cela ressemblait un peu à l'idée qu'ils en ont
Si ce n'était pas bien admirable ce qu'ils en ont fait

Ceux qui sont venus avec une âme du bon Dieu
Avec des yeux du bon Dieu
Pour faire un bouquet pur avec le monde

— III —

La terre était dans l'ombre et mangeait ses péchés ;
On était à s'aimer comme des bêtes féroces
La chair hurlait partout comme une damnée
Et des coups contre nous et des coups entre nous
Résonnaient dans la surdité du temps qui s'épaissit

Voilà qu'ils sont venus avec leur âme du bon Dieu
Voilà qu'ils sont venus avec le matin de leurs yeux
Leurs yeux pour nous se sont ouverts comme une aurore
Voilà que leur amour a toute lavé notre chair
Ils ont fait de toute la terre un jardin pré
Un pré de fleurs pour la visite de la lumière
De fleurs pour la présence de tout le ciel dessus

Ils ont bu toute la terre comme une onde
Ils ont mangé toute la terre avec leurs yeux
Ils ont retrouvé toutes les voix que les gens ont perdues
Ils ont recueilli tous les mots qu'on avait foutus

— IV —

Le temps marche à nos talons
Dans l'ombre qu'on fait sur le chemin
Tous ceux-là, le temps et l'ombre sont venus
Ils ont égrené notre vie à nos talons
Et voilà que les hommes s'en vont en s'effritant
Les pas de leur passage sont perdus sans retour
Les plus belles présences ont été mangées
Les plus purs éclats furent effacés
Et l'on croit entendre les pas du soir derrière soi
Qui s'avance pour nous ravir toutes nos compagnies
S'en vient tout éteindre le monde à nos yeux
Qui vient effacer en cercle tout le monde
Vient dépeupler la terre à nos regards
Nous refouler au haut d'un rocher comme le déluge
Et nous prendre au piège d'une solitude définitive
Nous déposséder de tout l'univers

Mais voilà que sont venus ceux qu'on attendait
Voilà qu'ils sont venus avec leur âme du bon Dieu
Leurs yeux du bon Dieu
Qu'ils sont venus avec les filets de leurs mains
Le piège merveilleux de leurs yeux pour filets
Ils sont venus par-derrière le temps et l'ombre
Aux trousses de l'ombre et du temps
Ils ont tout ramassé ce qu'on avait laissé tomber.

— V —

On n'a pas lieu de se consoler quand la nuit vient
De se tranquilliser d'être soulagé
De regarder avec un sourire autour de soi
Et parce qu'on ne voit plus l'ombre de se croire libéré

C'est seulement qu'on ne la voit plus
Sa présence n'est plus éclairée
Parce qu'elle a donné la main à toutes les ombres
Nous ne sommes plus qu'une petite lumière enfermée
Qu'une petite présence intérieure dans l'absence
universelle
Et l'appel de nos yeux ne trouve point d'écho
Dans le silence de l'ombre déserte

On passe en voyage au soleil
On est un passage vêtu de lumière
Avec notre ombre à nos trousses comme un chacal
Qui mange à mesure notre mort

Avec notre ombre à nos trousses comme une absence
Qui boit à mesure notre lumière

Avec notre absence à nos trousses comme une fosse
Un trou dans la lumière sur la route
Qui avale notre passage comme l'oubli.

Poids et mesures

Il ne s'agit pas de tirer les choses par les cheveux
D'attacher par les cheveux une femme
à la queue d'un cheval
D'empiler des morts à la queue leu leu
Au fil de l'épée, au fil du temps,

On peut s'amuser à faire des nœuds
avec des lignes parallèles
C'est un divertissement un peu métaphysique
L'absurde n'étant pas réduit à loger au nez de Cyrano
Mais en regardant cela la tête à l'envers
On aperçoit des évocations d'autres mondes
On aperçoit des cassures dans notre monde
qui font des trous

On peut être fâché de voir des trous dans notre monde
On peut être scandalisé par un bas percé un gilet
un gant percé qui laisse voir un doigt
On peut exiger que tout soit rapiécé

Mais un trou dans notre monde c'est déjà quelque chose
Pourvu qu'on s'accroche dedans les pieds
et qu'on y tombe
La tête et qu'on y tombe la tête la première
Cela permet de voguer et même de revenir
Cela peut libérer de mesurer le monde à pied,
pied à pied.

La mort grandissante

I

[Et jusqu'au sommeil]

Et jusqu'au sommeil perdu dont erre l'ombre
autour de nous sans nous prendre
Estompe tout, ne laissant que ce point en moi
lourd lourd lourd
Qui attend le réveil au matin pour se mettre
tout à fait debout
Au milieu de moi détruit, désarçonné, désemparé,
agonisant.

[Ah ! ce n’est pas la peine]

Ah ! ce n’est pas la peine qu’on en vive
Quand on en meurt si bien
Pas la peine de vivre
Et voir cela mourir, mourir
Le soleil et les étoiles

Ah ! ce n’est pas la peine de vivre
Et de survivre aux fleurs
Et de survivre au feu, des cendres
Mais il vaudrait si mieux qu’on meure
Avec la fleur dans le cœur
Avec cette éclatante
Fleur de feu dans le cœur.

[C'est eux qui m'ont tué]

C'est eux qui m'ont tué
Sont tombés sur mon dos avec leurs armes, m'ont tué
Sont tombés sur mon cœur avec leur haine, m'ont tué
Sont tombés sur mes nerfs avec leurs cris, m'ont tué

C'est eux en avalanche m'ont écrasé
Cassé en éclats comme du bois

Rompu mes nerfs comme un câble de fils de fer
Qui se rompt net et tous les fils en bouquet fou
Jaillissent et se recourbent, pointes à vif

Ont émietté ma défense comme une croûte sèche
Ont égrené mon cœur comme de la mie
Ont tout éparpillé cela dans la nuit

Ils ont tout piétiné sans en avoir l'air,
Sans le savoir, le vouloir, sans le pouvoir,
Sans y penser, sans y prendre garde
Par leur seul terrible mystère étranger
Parce qu'ils ne sont pas à moi venus m'embrasser

Ah ! dans quel désert faut-il qu'on s'en aille
Pour mourir de soi-même tranquillement.

Dilemme

Mais les vivants n'ont pas pitié des morts
Et que feraient les morts de la pitié des vivants
Mais le cœur des vivants est dur comme un bon arbre
et ils s'en vont forts de leur vie
Pourtant le cœur des morts est déjà tout en sang
et occupé d'angoisse depuis longtemps
Et tout en proie aux coups, trop accessible aux coups
à travers leur carcasse ouverte
Mais les vivants passant n'ont pas pitié des morts
qui restent avec leur cœur au vent sans abri.

Regards de pitié

— Nous avons mis à mort la pitié
Nous ne pouvons pas qu'elle soit
Nous sommes les orgueilleux
Nous nions les regards de pitié.

— Nous sommes les regards de pitié
Nous ne pouvons pas ne pas être sur terre
les regards de pitié.

UN AUTRE ENCORE

ou

LE MOURANT QUI ME JOINT ET M'ABREUVE DE CENDRE

[Il y a certainement]

Il y a certainement quelqu'un qui se meurt
J'avais décidé de ne pas y prendre garde
                    et de laisser tomber le cadavre en chemin
Mais c'est l'avance maintenant qui manque
                                et c'est moi
Le mourant qui s'ajuste à moi

II

[Nous avons attendu de la douleur]

Nous avons attendu de la douleur
Qu'elle modèle notre figure
à la dureté magnifique de nos os
Au silence irréductible et certain de nos os
À ce dernier retranchement inexpugnable de notre être
Qu'elle tende à nos os clairement la peau de nos figures
La chair lâche et troublée de nos figures
qui crèvent à tout moment et se décomposent
Cette peau qui flotte au vent de notre figure,
triste oripeau.

[Faible oripeau]

Faible oripeau à tous les vents qui nous trahit
Qu'elle l'assujettisse décidément
à la forme certaine de nos os clairs.

Mais la douleur fut-elle devancée
Est-ce que la mort serait venue secrètement
faire son nid dans nos os mêmes
Aurait pénétré, corrompu nos os mêmes
Aurait élu domicile dans la substance même de nos os
Parmi nos os
De sorte qu'arrivée là après toute la chair traversée
Après toutes les épaisseurs traversées
qu'on lui avait jetées en pâture
Après toutes ces morsures dans notre chair molle
et comme engourdie
La douleur ne trouve pas non plus
de substance ferme à quoi s'attaquer
De substance ferme à quoi s'agripper
d'une poigne ferme
Densité à percer d'un solide aiguillon
Un silence solide à chauffer à blanc
Une sensibilité essentielle et silencieuse
à torturer sans la détruire

Mais elle ne rejoint encore qu'une surface qui s'effrite
Un édifice poreux qui se dissout
Un fantôme qui s'écroule et ne laisse plus que poussière.

[Nous des ombres]

Nous des ombres de cadavres elles des réalités
de cadavres, des os de cadavres,
Et quelle pitié nous prend (et quelle admiration)
ombres consciences de cadavres
Et terreur fraternelle nous prend
Devant cette réponse faite
Cette image offerte
Os de cadavres.

[Quand on est réduit à ses os]

Quand on est réduit à ses os
Assis sur ses os
couché en ses os
avec la nuit devant soi.

[Nous allons détacher nos membres]

Nous allons détacher nos membres
    et les mettre en rang pour en faire un inventaire
Afin de voir ce qui manque
De trouver le joint qui ne va pas
Car il est impossible de recevoir assis tranquillement
                    la mort grandissante.

[Et cependant dressé en nous]

Et cependant dressé en nous
Un homme qu'on ne peut pas abattre
Debout en nous et tournant le dos à la direction
de nos regards
Debout en os et les yeux fixés sur le néant
Dans une effroyable confrontation obstinée et un défi.

[Quitte le monticule]

Quitte le monticule impossible au milieu
Et le manteau gardant le silence des os
Et la grappe du cœur enfin désespéré
Où pourra maintenant s'incruster cette croix
À la place du glaive acide du dépit
À l'endroit pratiqué par le couteau fixé
Dont le manche remue un mal encore aigu
Chaque fois que ta main se retourne vers toi
Où s'incruste la croix avec ses bras de fer
Comme le fer qu'on cloue à l'écorce d'un arbre
Qui blesse la surface, mais la cicatrice
De l'écorce bientôt le submerge et le couvre
Et plus tard le fil dur qui blessait la surface
On le voit assuré au bon centre du tronc
C'est ainsi que la croix sera faite en ton cœur
Et la tête et les bras et les pieds qui dépassent
Avec le Christ dessus et nos minces douleurs.

Quitte le monticule impossible au milieu
Place-toi désormais aux limites du lieu
Avec tout le pays derrière tes épaules
Et plus rien devant toi que ce pas à parfaire
Le pôle repéré par l'espoir praticable
Et le cœur aimanté par le fer de la croix.

Mon cœur cette pierre qui pèse en moi
Mon cœur pétrifié par ce stérile arrêt
Et regard retourné vers les feux de la ville
Et l'envie attardée aux cendres des regrets
Et les regrets perdus vers les pays possibles

Ramène ton manteau, pèlerin sans espoir
Ramène ton manteau contre tes os
Rabats tes bras épars de bonheurs désertés

Ramène le manteau de ta pauvreté contre tes os
Et la grappe séchée de ton cœur pour noyau
Laisse un autre à présent en attendrir la peau

Quitte le monticule impossible au milieu
D'un pays dérisoire et dont tu fis le lieu
De l'affût au secret à surprendre de nuit
Au secret d'un mirage où déserter l'ennui.

S'endormir à cœur ouvert

[Et je prierai ta grâce]

Et je prierai ta grâce de me crucifier
Et de clouer mes pieds à ta montagne sainte
Pour qu'ils ne courent pas sur les routes fermées
Les routes qui s'en vont vertigineusement
De toi
Et que mes bras aussi soient tenus grands ouverts
À l'amour par des clous solides, et mes mains
Mes mains ivres de chair, brûlantes de péché,
Soient, à te regarder, lavées par ta lumière
Et je prierai l'amour de toi, chaîne de feu,
De me bien attacher au bord de ton calvaire
Et de garder toujours mon regard sur ta face
Pendant que reluira par-dessus ta douleur
Ta résurrection et le jour éternel.

[Après tant et tant de fatigue]

Après tant et tant de fatigue
Espoir d'un sommeil d'enfant

Un repos enfin meilleur
Après tous les sommeils noirs
Un bon repos nous invite

Ce soir à la fraîcheur des draps
La blancheur de l'oreiller
À l'abandon de la nuit

Au bonheur de s'endormir
Le cœur déjà délié
L'âme déjà allégée

Misérable dépaysé
Par le bonheur d'aller dormir

Non plus le plongeon de rage dans le noir
Non plus la fin du courage
Non plus la mort au mirage
Désespoir

Ma misère est effacée
Mais qui nous a visité
Et comment renouvelé

Pour que nous retrouvions ce soir
Confiance et la chaleur
De s'endormir en oiseau
D'être enfant pour s'endormir
Dans la fraîcheur de son lit
Dans la bonté protectrice
Qui flotte deux dans le noir

Qui nous a renouvelé
Sainte Vierge ? Mes souliers
Sont sous mon lit doucement

Qui nous a tout récemment
Retourné si simplement
Tout faux détour effacé
Reposé si simplement
En ce lieu d'être un enfant
Qui s'endort doux et confiant

S'endormir à cœur ouvert
Mince feuille, endroit, envers
De s'en aller en sommeil
En musique de sommeil
Par ondes qui nous pénètre
Simplement et bonnement
Comme on s'en irait au ciel.

[Les cils des arbres]

Les cils des arbres au bord de ce grand œil de la nuit
Des arbres cils au bord de ce grand œil la nuit
Les montagnes des grèves autour de ce grand lac calme
le ciel la nuit
Nos chemins en repos maintenant dans leurs creux
Nos champs en reposoir
avec à peine le frisson passager
dans l'herbe de la brise
Nos champs calmement déroulés sur cette profondeur
brune chaude et fraîche de la terre
Et nos forêts ont déroulé leurs cheveux
sur les pentes...

Poèmes ajoutés

Le silence des maisons vides

Le silence des maisons vides
Est plus noir que celui qui dort dans les tombeaux,
Le lourd silence sans repos
Où passent les heures livides.

On dirait que, comme le vent
Qui siffle à travers les décombres
Des vieux moulins tout remplis d'ombre
Passe, toujours se poursuivant,

L'heure, passant par ce silence
Comme si le pendule lent
Qu'une antique horloge balance
La comptait à pas lourds et lents,

Passe sans rien changer aux choses
Dans un présent cristallisé
Où l'avenir et le passé
Seraient comme deux portes closes

Et dans ce silence béant
On dirait, tant le temps est lisse
Que c'est l'éternité qui glisse
À travers l'ombre du néant.

[Entre le ciel et l'eau]

Entre le ciel et l'eau, je suis entre le ciel
Qui est hier fixé dans l'azur du passé
Un ciel qui n'est pas immobile mais qui reste
Le même presque — Et l'eau de l'avenir qui fut
troublante et donne
le vertige, où se reflète le ciel d'hier
pareil, mais pas du tout de la même façon
Instable, comme glissant, d'un pas mal sûr
Inquiet comme se tenant sur une boule,
Et puis aussi selon les ondulations
Changeantes toutefois, plus profond ou plus clair,
Allongé par des bouts et raccourci par d'autres
Très incertain, assurément, très incertain
Et je me tiens ainsi, entre le ciel et l'eau
Appuyé tout contre le ciel sans empêcher
la clarté que je fais irrévocablement
Vers l'eau, vers l'eau mal sûre et pleine
d'inconnu, fascinante parfois ou qui fait peur
Selon que tel reflet s'allonge ou se restreint
prend toute la place ou la laisse à un autre
toujours selon les ondulations.

[Ô poésie enfin trouvée]

Ô poésie enfin trouvée ! Ô bon dégoût qui vous déchire
Au fond, jusqu'au bout, dans la chair
Et qui vous éperonne l'âme qui rebondit
Enfin et se retrouve assise auprès de Dieu
Car dans toutes les plaies ouvertes et qui saignent
À travers la déchirure qu'elles font
Luit la lumière où toute vie change de face
Où toute la laideur qui faisait mal s'efface
Si qu'il ne reste enfin que la douleur qui fait du bien.

Ô poésie ! tu m'apparais dans mon amour
Elle, le voile donc un ange en ma pensée
Car je suis dépouillé de toutes mes laideurs,
La faiblesse où je fus dans la fange et le sang,
Le mal autour et surtout le mal en moi se sont évanouis
Et par la déchirure transparaît la lumière
Métamorphosant tout. Et je vois clair enfin.

Ô poésie ! c'est toi, Joie et Beauté, enfin !
De sorte qu'elle est ange, elle, la bien-aimée
Qui fut un jour aussi une femme de chair
Pour moi. Mais elle est ange, et ma rédemption
Celle-là dont la chair avait été complice
Avec ma chair à moi, dans ces jours aveuglés
Mais voici qu'elle est ange enfin dans la lumière

Et redevenus fiers, nous levons vers les cieux
Qui nous accueilleront, des regards pleins d'azur.
Elle qui fut mon lourd lien à ses péchés
Maintenant que le ciel est ouvert à nos pas
Sera comme une étoile intacte à mon ciel pur
Ah ! Tu me guideras, cher cœur que je possède
De la bonne façon, vers la beauté suprême
Tu seras mon refuge au loin de la tempête
Qui gronde sans arrêt au bord de ma faiblesse
Tu seras cet amour et cette piété
Dans lesquels, te voyant en Dieu et Dieu en toi,
Je veux aller toujours vers la bonne Beauté.

[Quand la fatigue morne]

Quand la fatigue morne éteint l'avidité
L'âpre curiosité et le désir énorme
Lorsque les yeux vidés comme un phare sans feu
Ne découvrent plus rien au long des flots obscurs
Envahis tout à coup de brumes ténébreuses

L'esprit tel un coursier qui s'abat vers le soir
Rompu, bavant, et ne sent plus de tout,
De la route effrénée et du jour traversé
Que l'halètement sonore et douloureux
De son cœur sourd, trébuche et tombe à la renverse

[Quand loin de ton cœur]

Quand loin de ton cœur, ton cœur vénéré
Quand loin de ta chair, ta chair fraternelle
Quand loin de tes mains, colombes plus belles,
Quand loin de tes pieds, tes pieds adorés.
Quand loin de ta vie, ta vie désirée
Quand loin de tes jours je serai parti
Ils me resteront, tes yeux agrandis

Les pins

Les grands pins, vous êtes pour moi semblables à la mer.
La rythmique lenteur de vos balancements,
Vos grands sursauts quand vous luttez contre le vent,
Vos rages soudaines,
Vos révoltes,
Ces grandes secousses qui jaillissent de vos racines,
De vos racines inébranlables,
Et tout le long du tronc,
Tout au long du centre résistant
(Les secousses qui s'amortissent dans les racines, dans le tronc, où tout meurt dans la paix et le calme.)
S'en vont mourir à votre surface
Dans le vert glauque des feuillages
Qui frémissent au vent dur
Et votre faîte se renverse comme une tête cabrée.
Chaque tête de la forêt frémit,
Mais d'un frisson intérieur
Qui circule à travers le bois élastique des troncs (tendus)
Dans la grande masse de la forêt
De sorte que c'est bien semblable à la mer.

[Les cheveux châtains]

Les cheveux châtains en poussière qui sont comme des rêves flous, auréoles sans consistance qui ne sont que comme un cadre.

Les cheveux noirs qui sont comme des serpents onduleux sur l'oreiller et qui semblent vous enlacer, de glissantes tentacules.

Les cheveux roux, mer de feu, sanglants sous la lumière, non pas calmes jamais mais comme l'ardeur de charbons intérieurs, non pas doux mais crispés d'emportement, où nul ne se repose mais où tout brûle.

Vous êtes, châtains, les seuls qui sachiez descendre dans la nuque et y mettre votre poussière, comme une chute qui écume en eau éparpillée. Mais les blonds sont le duvet de la peau qui chatouille la langue.

Des cheveux fous et gris qui sont comme des aiguilles dans les mains.

Les larges cheveux noirs aux longues houles qui sont un bercement.

Les cheveux blonds pâles, où le regard se heurte comme le soleil sur l'eau, qui sont comme des ondes claires mais sans transparence.

Les cheveux noirs qui comme la nuit sont sans fond, où plonge le regard jusqu'à l'infini.

Et d'indicibles épouvantes naissent à ces lueurs mouvantes

Tordues au vent rageur qui vente.

[J'avais son bras]

J'avais son bras d'eau fraîche autour de mon cou
Et la brûlure de son ventre sous mon épaule
Et ma tête était portée sur le spasme misérable
de son corps
Roulée sur cette suffocation misérable
Sur cette respiration malade
Et dans mes yeux qu'on ne peut fermer
L'horreur d'un plafond bas et blanc
Et cependant autour de mon cou
Son bras incroyable restait d'eau fraîche

[Le jour, les hymnes]

Le jour, les hymnes furent pauvres

Il leur a fallu le crépuscule, la venue de la nuit

Nos chemins
Nos champs
Nos forêts
Nos montagnes

La terre est en repos
Sa respiration n'a plus besoin de voix pour chanter
Les montagnes des grèves autour de ce grand lac calme
le ciel la nuit
Les arbres cils au bord de ce grand œil la nuit

Les hymnes n'ont jamais été si pauvres
Que durant cette journée où nous avons cherché
la terre à nous désâmer
Où nous avons tant recherché notre reflet fantôme
la terre
Nous n'avons jamais été tant et si mal blessés
Que par ce soleil étranger dans le ciel que nous
n'avons pas créé

Que par ce soleil qu'il a fait que nous n'avons pas créé
Les hymnes n'ont jamais été si pauvres si délaissées
Que ce jour où nous avons voulu prendre le soleil
à témoin de notre lumière

Et lorsque nous sortons la tête de sous notre toit
nous voyons
La nuit d'un seul grand œil immense
(le ciel) regarder la terre
Comme une grande femme en repos
la terre respirante qui dort

Nous sommes-nous agités suffisamment cette journée
Avons-nous assez promené l'anxiété de notre soif
dans la journée
Avons-nous assez recherché la terre fantôme
Avons-nous assez cru assez douté
Le soleil nous a-t-il fait assez de mal, assez de bien
Les hymnes pendant ce temps ont été pauvres

Il leur a fallu maintenant cette heure depuis
le crépuscule
Quand l'horizon est monté s'étendre au bord du ciel
comme un bon chien
Et puis petit à petit toute la terre s'est étendue dans
sa vallée pour s'endormir
Toute la terre s'est détendue avec ses épaules
et ses vallées
Et sa respiration maintenant n'a plus besoin
de voix pour chanter

Bibliographie

Œuvres

Regards et jeux dans l'espace, Montréal, [s.é.], 1937, 83 p.

Poésies, comprend *Regards et jeux dans l'espace* et *Les solitudes,* Montréal, Éditions Fides, coll. du « Nénuphar », 1972 (1949), 240 p. Introduction de Robert Élie.

Regards et jeux dans l'espace, Montréal, Éditions Fides, 1993. Édition de luxe avec trente-cinq tableaux de l'auteur. Préface d'Anne Hébert.

Poèmes choisis, Éditions du Noroît (Canada) / L'arbre à paroles (Belgique) / Éditions Phi (Luxembourg), 1993, 118 p. Préface de Jacques Brault. Présentation et choix de Hélène Dorion.

À côté d'une joie, Paris, Éditions La Différence, coll. « Orphée », 1993. Préface de Marie-Andrée Lamontagne.

Complete Poems of Saint-Denys Garneau, Ottawa, Oberon Press, 1975, 176 p. Introduction de John Glassco.

Œuvres, texte établi, annoté et présenté par Jacques Brault et Benoît Lacroix, Montréal, Les Presses de l'Université de Montréal, 1971, XXVIII-1320 pages.

Journal, Montréal, Éditions Beauchemin, 1954, 270 p. Préface de Gilles Marcotte.

The Journal of Saint-Denys Garneau, McClelland and Stewart, 1962, 139 p. Introduction de Gilles Marcotte.

Lettres à ses amis, Montréal, Éditions Hurtubise HMH, 1967, 489 p. Avertissement de Robert Élie, Claude Hurtubise et Jean Le Moyne.

Œuvres en prose, texte établi par Giselle Huot, Montréal, Éditions Fides, 1995, 1196 p.

Le choix de Jacques Blais dans l'œuvre de Saint-Denys Garneau, Notre-Dame-des-Laurentides, Les Presses Laurentiennes, coll. «Le choix de...», Série B, 1987, 78 p.

Études

BROCHU, André, «*Poésies complètes,* de Saint-Denys Garneau», dans Maurice LEMIRE (dir.), *Dictionnaire des œuvres littéraires du Québec*, t. III: *1940-1959*, Montréal, Fides, 1982, p. 785-790. (Biblio.)

Hommage à Saint-Denys Garneau, numéro spécial d'*Études françaises, vol.* V, n° 4, novembre 1969, p. 455-488.

KUSHNER, Éva, *Saint-Denys Garneau,* Montréal/Paris, Fides/Seghers, coll. «Poètes d'aujourd'hui», 1967, 191 p.

MARCOTTE, Gilles, «La poésie de Saint-Denys Garneau», dans *Une littérature qui se fait,* Montréal, Éditions Hurtubise HMH, 1968, p. 154-232.

Roy, Jacques, *L'autre Saint-Denys Garneau: suivi de cinq lettres inédites de Saint-Denys Garneau*, Québec, Éditions du Loup de gouttière, coll. «Le lieu du loup», 1993, 134 p.

Vadeboncoeur, Pierre, «Instants du verbe», dans *Les deux royaumes,* Montréal, Éditions de l'Hexagone, 1978, p. 118-124.

Vigneault, Robert, «*Regards et jeux dans l'espace*, recueil de poésies d'Hector de Saint-Denys Garneau», dans Maurice Lemire (dir.), *Dictionnaire des œuvres littéraires du Québec*, t. II: *1900-1939*, Montréal, Éditions Fides, 1980, p. 949-956. (Biblio.)

Wyczynski, Paul, *Poésie et symbole. Perspectives du symbolisme. Émile Nelligan, Saint-Denys Garneau, Anne Hébert. Le langage des arbres*, Montréal, Déom, 1965, 252 p.

Bibliographie établie par
Marie-Andrée Lamontagne

Table des matières

Québec, Canada
2006